LE MASQUE HANTÉ

Chair de poule

LE MASQUE HANTÉ

R.L. STINE

Texte français de Yannick Surcouf

Éditions SCHOLASTIC

Catalogage avant publication de Bibliothèque et Archives Canada

Stine, R. L
[Haunted mask. Français]
Le masque hanté / R.L. Stine ; texte français de Yannick Surcouf.

(Chair de poule)
Traduction de : The haunted mask.
Publié à l'origine : 2005.
ISBN 978-1-4431-4580-0 (couverture souple)

I. Surcouf, Yannick, traducteur II. Titre. III. Titre: Haunted
mask. Français IV. Collection : Stine, R. L. Chair de poule

PZ23.S85Mas 2015   j813'.54   C2015-900142-0

5 4 3 2 1   Imprimé au Canada 139   15 16 17 18 19

1

— Tu te déguises en quoi, cette année, pour l'Halloween? demanda Sabrina Mason.

De la pointe de sa fourchette, elle traça un cercle dans l'assiette de macaronis jaunes posée sur son plateau, mais ne porta pas la nourriture à sa bouche. Carolyn Caldwell soupira et secoua la tête. La lumière du plafond de la cafétéria jetait des reflets dans ses cheveux bruns.

— Je n'en sais rien. En sorcière, peut-être.

Sabrina ouvrit de grands yeux.

— Toi? En sorcière?

— Et pourquoi pas? répliqua Carolyn en fixant des yeux son amie assise en face d'elle.

— Je croyais que tu en avais peur? se moqua Sabrina.

Elle avala une bouchée de macaronis et se plaignit :

— On dirait vraiment des morceaux de caoutchouc. Rappelle-moi de me préparer un lunch, la prochaine fois.

— Je n'ai *pas* peur des sorcières! s'écria Carolyn, un éclair de fureur dans ses yeux sombres. Tu me prends pour une poule mouillée, ou quoi?

— Oui, dit Sabrina en ricanant doucement.

D'un mouvement de la tête, elle fit voler sa queue de cheval par-dessus son épaule.

— Ne mange pas ton macaroni, dit-elle en empêchant son amie de lever sa fourchette. C'est dégueu!

— Mais j'ai *faim!* répliqua Carolyn.

La cafétéria était bondée et bruyante. À la table voisine, des garçons de cinquième année jouaient à se renvoyer un berlingot de lait à demi plein. Carolyn vit Andrew Green s'emparer d'un roulé aux fruits rouge vif collant et le mettre tout entier dans sa bouche.

— Beurk! fit-elle en le regardant avec une grimace de dégoût.

Puis elle se retourna vers Sabrina.

— Je *ne suis pas* peureuse. Ce n'est pas parce que tout le monde m'embête avec ça que...

— Voyons, Carolyn, tu as déjà oublié ce qui s'est passé la semaine dernière chez moi? Tu te rappelles?

Sabrina ouvrit un sac de croustilles au maïs et le tendit à son amie par-dessus la table.

— Tu veux parler de cette histoire de fantôme? demanda Carolyn en fronçant les sourcils. Vraiment, c'était idiot de faire ça.

— Mais tu as marché! ricana de nouveau son amie, la bouche pleine de croustilles. Tu as bel et bien cru que mon grenier était hanté! Si tu avais vu ta tête quand le plafond s'est mis à craquer et qu'on a entendu des pas au-dessus de nous...

— C'était méchant de votre part, dit Carolyn d'une voix plaintive en baissant les yeux.

— Et quand tu as entendu les pas qui descendaient l'escalier, tu es devenue toute pâle et tu t'es mise à crier, poursuivit Sabrina. Mais ce n'était qu'Andrew et Steve!

— Tu *sais bien* que j'ai peur des fantômes, avoua Carolyn en rougissant.

— Et aussi des serpents et des insectes et du bruit et de l'obscurité et... des sorcières! enchaîna Sabrina.

— Je ne comprends pas pourquoi tu te moques de moi comme ça, gémit Carolyn avec une moue dépitée en repoussant son plateau. Pourquoi est-ce que tout le monde trouve tellement amusant de me faire peur? Même toi, ma meilleure amie.

— Pardon, s'excusa Sabrina, sincère.

Tendant la main par-dessus la table, elle pressa gentiment le poignet de Carolyn.

— C'est si facile, avec toi. On a du mal à s'en empêcher. Tiens, tu veux encore des croustilles?

Elle poussa le sac vers son amie.

— Je te ferai peur, *moi aussi*, un de ces jours, menaça Carolyn.

Sabrina éclata de rire.

— Toi? Impossible!

Carolyn continua à bouder. Elle avait onze ans. Mais avec sa taille menue, son visage rond et son tout petit nez (qu'elle détestait et rêvait de voir s'allonger), elle paraissait beaucoup plus jeune.

Sabrina, elle, était grande et avait déjà quelque chose d'une femme, avec ses cheveux bruns attachés en queue de cheval et ses immenses yeux noirs. À voir les deux amies ensemble, on donnait facilement douze ou treize ans à Sabrina, alors qu'en réalité, elle n'avait qu'un mois de moins que Carolyn.

— Je ne me déguiserai peut-être pas en sorcière, reprit Carolyn, songeuse, le menton appuyé sur ses mains. Je pourrais me faire une tête de monstre, avec des yeux qui pendent et de la bave bien verte dégoulinant sur la figure, et...

Un bruit fracassant, tout près d'elle, lui fit pousser un cri strident.

Elle mit quelques secondes à comprendre qu'il s'agissait simplement de la chute d'un plateau sur le plancher. En se retournant, elle vit Gabe Moser, rouge de confusion, s'agenouiller pour récupérer la nourriture répandue sur le plancher. Un tonnerre d'applaudissements fit trembler les vitres de la salle.

Carolyn, honteuse, se recroquevilla sur sa chaise.

Comme elle reprenait sa respiration, une main s'abattit violemment sur son épaule.

De nouveau, le cri perçant de Carolyn retentit dans la cafétéria.

2

Elle entendit des rires. Quelqu'un, à une autre table, lança :

— Bravo, Steve!

Tournant vivement la tête, elle vit Steve Boswell debout derrière elle, un sourire malicieux aux lèvres.

— Je t'ai eue! dit-il en retirant sa main de l'épaule de Carolyn.

Il approcha une chaise de celle de la jeune fille, et s'y installa à califourchon. Son meilleur copain, Andrew Greene, lança son sac à dos sur la table avant de s'asseoir à côté de Sabrina.

Steve et Andrew se ressemblaient tellement qu'on aurait pu les prendre pour des frères. Ils étaient tous deux grands et minces, avec des cheveux bruns et raides qu'ils dissimulaient la plupart du temps sous des casquettes de baseball. Ils avaient les mêmes yeux marron foncé, le même sourire farceur, et aimaient l'un et l'autre les jeans délavés et les t-shirts foncés à manches longues.

Et ils adoraient tous deux effrayer Carolyn. Ils adoraient lui tomber dessus à l'improviste, et la faire sursauter et hurler d'horreur.

Ils passaient des heures à imaginer des façons de lui faire peur.

Chaque fois, elle jurait qu'elle ne se laisserait plus *jamais* avoir, mais jusque-là, ils avaient toujours réussi.

Et Carolyn menaçait toujours de se venger. Pourtant, depuis le temps qu'ils se connaissaient et qu'ils étaient amis, elle n'avait pas encore trouvé une seule bonne idée pour leur faire peur.

Andrew se pencha pour attraper les dernières croustilles au fond du sac de Sabrina. Elle lui donna une claque amicale sur la main.

— Va t'en acheter, si tu en veux!

Steve mit sous le nez de Carolyn un sandwich enveloppé dans du papier d'aluminium tout froissé.

— Tu veux un sandwich? Moi, je ne veux pas le manger.

Carolyn renifla la chose d'un air soupçonneux.

— Il est à quoi? Je suis *morte de faim!*

— À la dinde. Tiens, ajouta-t-il en le lui tendant. Je le trouve un peu sec. Ma mère a oublié la mayonnaise. Tu le veux?

— Oh, oui! Merci! s'exclama Carolyn.

Elle défit le papier d'aluminium et planta ses dents dans le sandwich.

Comme elle commençait à mâcher, elle vit que Steve et Andrew l'observaient avec un grand sourire.

Sentant dans sa bouche quelque chose de bizarre, gluant et acide, elle arrêta de mâcher.

Maintenant, Andrew et Steve riaient en se tenant les côtes. Sabrina semblait sceptique.

Carolyn émit un grognement de dégoût et recracha ce qu'elle venait de mâcher dans une serviette en papier. Puis elle ouvrit le sandwich et vit un gros ver de terre brun étalé sur la viande.

— Ooooh! gémit-elle en se cachant le visage dans les mains.

La salle tout entière éclata de rire. Un rire cruel.

— J'ai mangé un ver de terre. Je... je vais vomir!

Elle bondit sur ses pieds et fusilla Steve du regard.

— Comment as-tu pu *faire* ça? Ce n'est pas drôle. C'est... c'est...

— Ce n'est pas un vrai ver! dit Andrew.

Steve riait tellement qu'il était incapable de parler.

— Quoi?

Carolyn se força à regarder et sentit son cœur se soulever.

— C'est un faux, Carolyn! Il est en caoutchouc! Touche-le, tu vas voir, lança Andrew.

Carolyn hésita.

Tout autour d'elle, dans la grande cafétéria, des élèves chuchotaient et riaient en la montrant du doigt.

— Vas-y! Je te dis que c'est un faux. Touche-le! insista Andrew sans cesser de sourire.

Carolyn saisit le ver entre le pouce et l'index à contrecœur. Il était tiède et visqueux.

— Je t'ai encore eue! dit Andrew en riant aux éclats. *C'était bien* un ver de terre! Un vrai!

Carolyn lâcha un cri d'horreur et lança le ver sur Andrew, qui se tordait de rire. Puis elle s'écarta brusquement de la table en renversant sa chaise et se précipita hors de la cafétéria, une main devant la bouche, secouée de haut-le-cœur.

« Je peux encore le goûter! Je peux goûter ce

ver dans ma bouche! Ils vont me le payer! Oui, ils vont me le payer! Et cher! »

Elle poussa la porte à deux battants et se précipita dans le corridor, mais les rires cruels semblèrent la poursuivre jusqu'à ce qu'elle s'enferme dans les toilettes.

3

Après l'école, Carolyn fila vers la sortie sans adresser la parole à quiconque. Elle entendait des jeunes rire et murmurer sur son passage. Elle savait qu'ils se moquaient d'elle.

Toute l'école savait que Carolyn avait mangé un ver de terre.

Carolyn, la poule mouillée. Carolyn, la fille qui avait peur de son ombre. Carolyn, celle qu'on faisait marcher si facilement!

Andrew et Steve avaient placé un vrai ver de terre, un gros ver brun, dans un sandwich. Et Carolyn en avait pris une grosse bouchée.

Quelle méchanceté!

Elle courut d'une traite jusque chez elle, à trois pâtés de maisons. Sa fureur augmentait à chaque pas.

« Comment ont-ils pu me faire une chose pareille? Eux, qui se prétendent mes amis!

Pourquoi trouvent-ils si drôle de me faire peur? »

Elle entra en trombe dans la maison, hors d'haleine.

— Il y a quelqu'un? lança-t-elle dans l'entrée, appuyée contre la rampe pour reprendre son souffle.

Sa mère surgit aussitôt de la cuisine.

— Carolyn? Qu'est-ce qu'il y a?

— J'ai couru jusqu'ici sans m'arrêter, répondit Carolyn en retirant son blouson bleu.

— Pourquoi? demanda Mme Caldwell.

— Parce que j'en avais le goût, répondit Carolyn, d'un air maussade.

Mme Caldwell prit le blouson pour le suspendre dans la penderie de l'entrée. Puis, d'un geste plein de douceur, elle caressa la chevelure brune et soyeuse de sa fille.

— De qui tiens-tu ces cheveux raides comme des baguettes? murmura-t-elle.

Ce n'était pas la première fois qu'elle disait cela. « C'est vrai, nous ne nous ressemblons pas comme une mère et sa fille », songea Carolyn.

Mme Caldwell était une grande et forte femme aux yeux gris-vert et au regard vif sous une masse de boucles d'un blond cuivré. Débordante d'énergie, elle était toujours occupée à quelque

chose et parlait aussi vite qu'elle se déplaçait
à travers la maison.

Elle portait, ce jour-là, des collants noirs et un
chandail molletonné gris maculé de peinture.

— Qu'est-ce qu'il y a? demanda-t-elle. Tu me
parais bien grognonne. Tu n'as rien de spécial à
me dire?

Carolyn secoua la tête.

— Non. Pas vraiment.

Elle ne tenait pas à raconter à sa mère qu'elle
était devenue la risée de son école.

— Viens! Je veux te montrer quelque chose,
dit Mme Caldwell en la poussant vers le salon.

— Je... je ne me sens pas très bien, maman,
protesta Carolyn en la suivant à contrecœur. Je...

— Allons, *viens!* insista Mme Caldwell.

Et elle l'entraîna à travers le hall d'entrée.
Carolyn savait depuis longtemps qu'on ne
résistait pas à sa mère. Cette femme était un
véritable ouragan, entraînant tout sur son
passage.

— Regarde! dit Mme Caldwell avec un grand
sourire, en désignant le dessus de la cheminée.

Carolyn suivit le regard de sa mère et laissa
échapper un cri de stupéfaction.

— C'est... une tête!

— Oui, mais pas *n'importe quelle* tête, corrigea Mme Caldwell. Vas-y, examine-la.

Carolyn fit quelques pas. La tête, sur la cheminée, la regardait. Il lui fallut quelques secondes pour reconnaître les cheveux bruns et raides, les yeux marron, le nez minuscule et les joues rebondies.

— Mais... c'est *moi!* s'écria-t-elle, s'approchant encore plus.

— Oui. Grandeur nature! répliqua fièrement Mme Caldwell. Je l'ai faite pendant mon cours de sculpture au musée. Je l'ai terminée aujourd'hui même. Qu'en penses-tu?

Carolyn prit la tête pour l'examiner de près.

— C'est vraiment moi, maman. En quoi est-elle faite?

— En plâtre de moulage, répondit sa mère en brandissant la sculpture de telle sorte que Carolyn se trouvait face à face, les yeux dans les yeux avec elle-même. Fais attention, c'est fragile. L'intérieur est creux, tu vois?

Carolyn fixait intensément la tête, plongeant son regard dans celui de son double.

— C'est... un peu lugubre, murmura-t-elle.

— ... tellement c'est réussi, tu veux dire? demanda sa mère.

— C'est lugubre, et voilà tout, déclara Carolyn.

Elle se força à détourner son regard de cette réplique d'elle-même, qui la mettait mal à l'aise. Elle constata que le sourire de sa mère avait disparu. Mme Caldwell semblait peinée.

— Elle ne te plaît pas?

— Oui, bien sûr. C'est très bien fait, maman. C'est excellent, s'empressa-t-elle de répondre. Mais... pourquoi avoir fait ma tête plutôt qu'une autre?

— Parce que je t'aime, tout simplement, répondit Mme Caldwell, un rien de brusquerie dans la voix. Quelle autre raison aurais-je eue? Franchement, Carolyn, je te trouve bizarre par moment. Je me suis donné beaucoup de mal pour faire cette sculpture. Je croyais...

— Ne m'en veux pas, maman. Elle me plaît. Je t'assure, insista Carolyn. J'ai été surprise, c'est tout. Elle est formidable, ta sculpture. Elle me ressemble vraiment. Je... j'ai eu une journée un peu difficile, c'est tout.

Carolyn regarda longuement la sculpture. Les yeux marron – *ses* yeux marron – soutinrent son regard. Le soleil de l'après-midi, entrant à flots par la fenêtre, faisait briller ses cheveux bruns. « Elle m'a souri! songea Carolyn, bouche bée.

J'en suis sûre! Je l'ai vue me sourire! Mais non! C'était une illusion, un effet d'éclairage. Ce n'est qu'une tête en plâtre. Cesse de prendre peur à propos de tout et de rien, idiote. Tu ne t'es pas assez ridiculisée pour aujourd'hui? »

— Merci de me l'avoir montrée, maman, dit-elle maladroitement en se détournant.

Elle se força à plaisanter :

— Deux têtes valent mieux qu'une, pas vrai?

Mme Caldwell retrouva son sourire.

— C'est ça, approuva-t-elle. À propos, Carolyn, ton costume de canard est prêt. Je l'ai mis sur ton lit.

— Hein? Mon costume de canard?

— Mais oui. Comme celui que tu avais vu au centre commercial. Tu ne t'en souviens pas?

Mme Caldwell remit avec précaution la tête sculptée sur la cheminée.

— Tu avais pensé te déguiser en canard pour l'Halloween, avec un tas de plumes et tout ça. Je t'ai donc fait un costume de canard.

— Ah bon, dit Carolyn.

Les pensées se bousculaient dans sa tête.

« Je ne vais quand même pas me déguiser en canard pour l'Halloween! De quoi j'aurais l'air? »

— Je vais monter voir ça, maman. Merci.

Carolyn avait complètement oublié cette histoire de canard.

« Je n'ai pas du tout envie d'être mignonne cette année pour l'Halloween, songeait-elle en gravissant les marches. J'ai envie d'être effrayante. »

Elle avait repéré des masques d'épouvante dans la vitrine d'un magasin qui venait d'ouvrir tout près de l'école. L'un d'eux, lui semblait-il, ferait parfaitement l'affaire.

Mais il était trop tard. Elle serait obligée de se promener couverte de plumes. Tout le monde viendrait lui faire « coin-coin! » et se moquer d'elle une fois de plus.

C'était trop injuste! Pourquoi fallait-il que sa mère l'écoute chaque fois qu'elle disait quelque chose? Ce n'est pas parce qu'elle avait trouvé un déguisement de canard génial dans une vitrine, qu'elle voulait se transformer en cet oiseau débile pour l'Halloween!

Carolyn s'immobilisa, hésitante, sur le seuil de sa chambre. Quelqu'un avait fermé la porte. Alors qu'elle ne le faisait jamais.

Elle tendit l'oreille. Derrière la porte, il lui sembla entendre quelqu'un respirer. Quelqu'un ou quelque *chose*.

Le bruit de la respiration se fit plus fort. Carolyn pressa son oreille contre la porte. Que se passait-il dans sa chambre?

Il n'y avait qu'un moyen de le savoir.

Elle ouvrit la porte d'un coup... et poussa un grand cri.

— *COIN! COIN! COIN!*

Un énorme canard blanc aux plumes ébouriffées et aux grands yeux écarquillés se jeta sur Carolyn en battant des ailes et en poussant des cris affreux.

Comme elle reculait sous le coup de la surprise, l'animal la déséquilibra d'une poussée violente, et elle se retrouva par terre dans le couloir.

— *COIN! COIN! COIN!*

« Le costume d'Halloween est devenu vivant! » Telle fut sa première pensée.

Puis elle comprit la vérité.

— Noah, lâche-moi! cria-t-elle en tentant de repousser le gros canard qui pesait sur elle de tout son poids.

Les plumes blanches lui effleurèrent le nez et elle éternua.

— Noah!

— *COIN! COIN! COIN!*

— Noah, je ne plaisante pas! cria-t-elle à son petit frère âgé de huit ans. Qu'est-ce que tu fais avec ça sur le dos? C'est *mon* déguisement, que je sache!

— J'étais seulement en train de l'essayer, répondit Noah en la fixant de ses yeux bleus à travers le masque de plumes jaunes et blanches. Je t'ai fait peur?

— Pas du tout, mentit Carolyn. Mais lève-toi, maintenant! Tu pèses une tonne!

Il ne broncha pas.

— Dis-moi pourquoi tu veux toujours tout ce que j'ai? reprit Carolyn, furieuse.

— Ce n'est pas vrai, répondit Noah.

— Et dis-moi aussi pourquoi tu trouves tellement amusant de me faire peur? continua-t-elle.

— Ce n'est pas ma faute si tu te mets à trembler chaque fois que je fais *bouh*.

— Lève-toi! Lève-toi!

Après quelques *coin-coin* et battements d'ailes, il se releva lentement.

— Tu ne veux pas me le passer, ce costume? Il est vraiment bien.

Carolyn secoua la tête.

— Regarde : j'ai des plumes partout, maintenant! Tu mues!

— Je mue? Qu'est-ce que ça veut dire, ça?

Noah retira le masque. Ses cheveux blonds, inondés de sueur, étaient collés sur son crâne.

— Ça veut dire que tu vas devenir un canard chauve!

— Je m'en fiche. Tu peux me le passer, ce costume? répéta Noah en examinant le masque. Il me va super bien.

— Je ne sais pas, dit Carolyn. Peut-être.

Le téléphone se mit à sonner dans sa chambre.

— Et maintenant, disparais, veux-tu? Envole-toi vers le sud pour y passer l'hiver! lança-t-elle en se précipitant vers son bureau pour décrocher.

Au passage, elle vit les plumes blanches répandues sur son lit.

« Ce costume ne tiendra pas jusqu'à l'Halloween! » pensa-t-elle. Elle décrocha.

— Allô? Ah, c'est toi, Sabrina! Oui, ça va.

Sabrina voulait lui rappeler que l'expo-sciences ouvrait le lendemain. Il leur fallait donc terminer le projet qu'elles avaient entrepris ensemble : une maquette du système solaire réalisée à l'aide de balles de ping-pong.

— Passe après le souper, proposa Carolyn.
C'est presque fini. Il ne nous reste plus qu'à
la peindre. Ma mère m'a promis qu'elle nous
aiderait à la porter à l'école demain.

Elles bavardèrent un petit moment. Puis
Carolyn se plaignit :

— J'étais vraiment furieuse à la cafétéria, ce
midi. Pourquoi Andrew et Steve passent-ils leur
temps à me faire des coups pareils?

— J'imagine que c'est parce que c'est facile de
te faire peur! expliqua Sabrina après un court
silence.

— Facile? dit Carolyn.

— Tout le monde a peur à l'occasion. Mais
les gens ne crient pas comme ça pour autant.
Andrew et Steve ne le font pas méchamment.
Ça les amuse, c'est tout.

— Eh bien, je ne vois *vraiment* pas ce qu'il
y a d'amusant là-dedans, répondit Carolyn,
maussade. Et je ne me laisserai plus effrayer
à l'avenir. Je le dis sérieusement. On ne me fera
plus peur. On ne m'entendra *plus* crier. Plus
jamais!

Les projets des élèves étaient exposés sur
la scène de l'auditorium. Mme Armbuster, la

directrice, et M. Smythe, l'enseignant de sciences, allaient de l'un à l'autre en prenant des notes sur leurs calepins.

La maquette du système solaire confectionnée par Carolyn et Sabrina était arrivée à peu près intacte à l'école. À peu près, car Pluton était un peu cabossée, et les filles n'avaient pas pu réparer la planète complètement. Et au moindre choc, la Terre se détachait de son support et s'échappait en bondissant à travers la pièce. Les deux amies trouvaient néanmoins que l'ensemble avait belle allure.

Ce n'était peut-être pas aussi impressionnant que le projet de Martin Goodman, qui avait carrément bricolé un ordinateur. Mais Martin était un génie. Et Carolyn se disait que le jury ne s'attendait certainement pas à ce que tous les élèves lui ressemblent.

En parcourant la scène du regard – on s'y bousculait et il y avait beaucoup de bruit – Carolyn aperçut d'autres projets intéressants. Mary Sue Chong avait fabriqué une sorte de bras robotisé électronique, capable de soulever une tasse et de saluer d'un geste de la main. Brian Baldwin, lui, présentait un ensemble de bouteilles pleines d'un magma brunâtre et étiquetées « déchets toxiques ».

Un élève avait fait l'analyse chimique de l'eau potable de la ville. Et un autre avait modelé un volcan qui devait entrer en éruption à l'approche des deux membres du jury.

— Notre projet n'est pas très intéressant, chuchota Sabrina, inquiète, à l'oreille de Carolyn.

Elle suivait du regard les deux juges qui s'extasiaient avec des oh! et des ah! devant l'ordinateur maison de Martin Goodman.

— Des balles de ping-pong sur des tiges en fil de fer, franchement...

— Moi, je trouve ça très bien, répondit Carolyn d'un ton convaincu. On a travaillé fort!

— Je sais, approuva son amie de plus en plus fébrile. N'empêche. Il n'est pas très intéressant.

Le volcan entra en éruption, projetant un flot de liquide rouge. Les membres de jury parurent impressionnés. Quelques acclamations fusèrent parmi les élèves.

— Oh! oh! Ils arrivent, dit Carolyn à voix basse en enfonçant les mains dans les poches de son jean.

Mme Armbuster et M. Smythe, les traits figés dans un même sourire, venaient de s'arrêter pour examiner un dispositif optique fait de miroirs et de cristaux.

Soudain, Carolyn entendit quelqu'un crier sur la scène, quelque part derrière elle.

— Ma tarentule! Eh! Ma tarentule s'est échappée!

Elle reconnut la voix de Steve.

— Personne n'a vu ma tarentule? demanda-t-il à la ronde.

Quelques élèves poussèrent des exclamations étonnées. D'autres éclatèrent de rire.

« Je ne vais pas avoir peur, je ne vais pas avoir peur », se dit Carolyn, la gorge serrée. Rien ne la terrifiait autant que les tarentules. Mais elle était bien décidée, cette fois, à ne pas le laisser voir. Un brouhaha de voix excitées montait de la petite foule rassemblée sur la scène.

— Ma tarentule a filé! cria encore Steve, sa voix dominant toutes les autres.

« Je n'ai pas peur, non, je n'ai pas peur », se répétait Carolyn.

Puis elle sentit quelque chose sur sa jambe, un frôlement suivi d'un léger pincement. Elle poussa alors un hurlement de terreur qui retentit à travers tout l'auditorium.

Carolyn donna un grand coup de pied en avant pour se débarrasser de la tarentule et renversa le système solaire. Les balles de ping-pong rebondirent tout autour d'elle.

Elle cria de nouveau.

— Enlevez-la! Enlevez-la, vite!

— Carolyn, ça suffit! la supplia Sabrina. Tu n'as rien! Tu n'as rien du tout!

Le cœur battant, Carolyn se retourna. Steve était à quatre pattes derrière elle.

Il fit le geste de pincer avec son pouce et son index.

— Je t'ai encore eue! dit-il avec un large sourire.

— Non! cria Carolyn.

Elle comprenait enfin qu'il n'y avait jamais eu de tarentule. Steve lui avait simplement pincé la jambe.

Elle releva la tête et vit que tout le monde riait autour d'elle. Même Mme Armbuster et M. Smythe.

Elle envoya un coup de pied rageur en direction de Steve, qui l'esquiva avec adresse.

— Aide-moi à ramasser les planètes, Carolyn.

C'était la voix de Sabrina. Elle semblait venir de loin, de très loin.

Carolyn n'entendait plus que les battements de son propre cœur et les rires des élèves. Steve s'était remis debout. Andrew et lui, côte à côte, se félicitaient en se tapant dans les mains.

— Carolyn, aide-moi, répéta Sabrina.

Mais déjà Carolyn tournait les talons, sautait au bas de la scène et courait à travers l'auditorium.

« Andrew et Steve vont me le payer. Ils vont me le payer cher, se jurait-elle, furieuse. C'est moi qui vais leur faire peur, UNE FOIS POUR TOUTES! »

Mais comment?

— D'accord. À quelle heure on se retrouve?
demanda Carolyn, le récepteur du téléphone
coincé entre l'épaule et le menton.

Sabrina, à l'autre bout du fil, réfléchit un
instant.

— Sept heures et demie, ça te va?

C'était l'Halloween. Elles partiraient de chez
Sabrina pour faire la tournée du quartier.

— Le plus tôt sera le mieux. On aura plus
de bonbons, dit Sabrina. Est-ce que Steve t'a
appelée?

— Oui. Il a appelé, répondit Carolyn d'un ton
chargé d'amertume.

— Il s'est excusé?

— Oui. Pour ce que j'en ai à faire, de ses
excuses. Il m'a ridiculisée devant toute l'école...
À quoi ça sert? Le mal est fait!

— Je crois qu'il s'en voulait, dit Sabrina.

— J'espère qu'il s'en voulait! répliqua Carolyn. C'était vraiment méchant!

— C'est vrai, admit Sabrina. Reconnais, tout de même, que c'était un peu drôle aussi.

— Je ne reconnais rien du tout! répliqua Carolyn d'une voix brusque.

— Il pleut toujours? demanda Sabrina pour changer de sujet.

Carolyn écarta le rideau pour jeter un coup d'œil dehors. Le ciel, en cette fin d'après-midi, était gris sombre, presque noir par endroits, chargé de gros nuages bas. La chaussée était luisante d'humidité sous la lumière d'un réverbère.

— Il ne pleut plus. Bon, il faut que j'y aille. On se voit à sept heures et demie.

Carolyn semblait pressée soudain.

— Une seconde! Qu'est-ce que tu as, finalement, comme costume?

— C'est une surprise, répondit Carolyn, et elle raccrocha.

« Pour moi aussi, ce sera une surprise », songea-t-elle.

Dans un coin de la chambre, le costume de canard était posé en boule sur un fauteuil, toutes ses plumes ébouriffées. Carolyn le regarda.

Elle avait voulu se rendre à la nouvelle boutique de farces et attrapes afin d'y choisir le masque le plus laid, le plus dégoûtant, le plus effrayant de tous. Mais sa mère était venue la chercher à l'école et lui avait demandé de veiller sur Noah jusqu'à son retour.

Mme Caldwell venait juste de rentrer et il était maintenant six heures moins le quart. « Ça va être juste! » se dit Carolyn, les sourcils froncés, en regardant le costume de canard.

— *Coin! Coin!* fit-elle d'un air piteux.

Elle s'approcha du miroir, passa la brosse dans ses cheveux. « Ça vaut peut-être la peine d'essayer, pensa-t-elle. Peut-être que la boutique reste ouverte plus tard que d'habitude, pour l'Halloween. »

Elle ouvrit le tiroir supérieur de sa commode pour y prendre son portefeuille. Avait-elle assez d'argent pour acheter un bon masque bien effrayant?

Trente dollars. Toutes ses économies.

Elle prit les billets, les mit en éventail et les remit dans son portefeuille qu'elle glissa dans sa poche de jeans. Puis elle attrapa son blouson et se précipita dehors.

Il faisait froid et humide. Carolyn lutta un instant avec la fermeture éclair de son blouson, sans cesser de courir à petites foulées vers la boutique de farces et attrapes. Devant la maison voisine de la sienne, elle vit une citrouille sculptée avec une chandelle à l'intérieur; et sur le porche de la suivante, on avait accroché une guirlande de squelettes découpés dans du papier.

Le vent sifflait à travers les arbres dénudés qui formaient une voûte au-dessus de sa tête, et les branches les plus proches grinçaient en se penchant vers elle comme de longs bras décharnés.

« C'est sinistre », songea-t-elle.

Elle se mit à courir un peu plus vite. Une voiture la dépassa en silence, la lumière violente de ses phares projetant sur le sol et sur les troncs des arbres des ombres fantomatiques.

Elle aperçut de l'autre côté de la rue, la maison des Carpenter qui se dressait, sombre et solitaire, au milieu d'une pelouse couverte de mauvaises herbes depuis longtemps. On disait que cette vieille demeure délabrée était toujours hantée par ses anciens propriétaires, qui avaient été assassinés un siècle auparavant.

Un jour, Carolyn avait entendu des hurlements

provenant de la maison. Quand elle avait l'âge de Noah, Steve et Andrew et d'autres enfants s'étaient mis au défi de s'en approcher et de frapper à la porte. Carolyn s'était plutôt empressée de rentrer à la maison. Elle se demandait si les autres enfants avaient eu le courage de relever le défi. Personne ne lui en avait parlé.

En passant devant la vieille maison, Carolyn ne put réprimer un frisson. Elle connaissait ce quartier comme sa poche. Elle y avait toujours vécu. Mais ce soir, il lui semblait différent.

Était-ce simplement les reflets bizarres causés par la pluie?

Non. Il y avait dans l'air quelque chose d'oppressant. L'obscurité était plus épaisse que d'habitude. On apercevait çà et là, aux fenêtres des maisons, la lueur orangée des grosses citrouilles évidées pour former des têtes grimaçantes éclairées de l'intérieur. Leurs bouches déformées lançaient dans les ténèbres un cri silencieux vers la foule invisible des monstres et des vampires qui attendaient le moment de célébrer cette nuit : leur nuit, la nuit de l'Halloween.

Carolyn s'efforçait, sans grand succès, de

chasser toutes ces pensées qui la faisaient trembler. Enfin, elle aperçut la petite boutique. La vitrine était éclairée, et deux rangées de masques regardaient la rue. Était-ce encore ouvert?

Carolyn croisa les doigts, attendit au bord du trottoir pour laisser passer un camion, puis traversa en pressant le pas. Elle prit quelques secondes pour examiner les masques exposés dans la vitrine. Il y avait là un gorille, toutes sortes de monstres, et des crânes ornés de cheveux bleus, qui semblaient évoquer des extraterrestres.

« Pas mal, se dit-elle. Ils sont assez laids. Mais il doit y en avoir de plus effrayants à l'intérieur. »

Il y avait de la lumière dans la boutique. Carolyn jeta un coup d'œil à travers la porte vitrée. Puis elle voulut tourner la poignée.

Elle était bloquée.

Carolyn essaya de nouveau. Elle tenta de pousser la porte. Puis de la tirer.

En vain.

Elle arrivait trop tard. La boutique était fermée.

7

Carolyn, déçue, poussa un profond soupir.
Écrasant son nez contre la vitrine, elle essaya
de voir à l'intérieur. C'était une toute petite
boutique aux murs tapissés de masques. Et tous
ces masques semblaient la regarder.

« Ils se moquent de moi, pensa-t-elle. Ils se
moquent de moi parce que j'arrive trop tard.
Parce que la boutique est fermée, et que je vais
être obligée de me déguiser en canard ridicule. »

Soudain, une ombre bougea derrière la vitre,
lui cachant la vue. Carolyn fit un pas en arrière
en retenant sa respiration.

Après un bon moment, elle se rendit compte
qu'il s'agissait d'un homme vêtu de noir qui la
regardait d'un air étonné.

— Vous... vous êtes fermé? demanda Carolyn
en criant pour se faire entendre à travers la
vitrine.

L'homme fit un geste pour dire qu'il ne la comprenait pas. Puis il tendit le bras, fit tourner la poignée et entrouvrit la porte.

— Qu'est-ce que tu veux? demanda-t-il sèchement.

Ses cheveux noirs et luisants, séparés par une raie centrale, étaient plaqués sur son crâne, et sa lèvre supérieure s'ornait d'une moustache si fine qu'elle semblait dessinée de deux traits de crayon.

— La boutique est ouverte? demanda Carolyn d'une voix timide. J'ai besoin d'un masque d'Halloween.

— Il est bien tard, observa l'homme sans répondre à sa question, mais en ouvrant un peu plus la porte. Normalement, nous fermons à cinq heures.

— Il me faut absolument un masque, reprit Carolyn de son ton le plus décidé.

Les petits yeux noirs de l'homme scrutaient les siens. Mais son visage n'exprimait rien.

— Entre, dit-il calmement.

En franchissant le seuil de la boutique, Carolyn vit qu'il portait une longue cape noire.

« Il est certainement déguisé pour l'Halloween, pensa-t-elle. Il ne doit pas porter cette cape en temps normal. »

Elle reporta son attention sur les masques alignés le long des murs.

— Quel genre de masque veux-tu? demanda l'homme en refermant la porte derrière eux. Carolyn fut prise de peur un bref instant. Les yeux qui la fixaient brillaient comme des charbons ardents. Il y avait chez cet homme quelque chose de très, très bizarre. Et elle était maintenant enfermée dans le magasin, seule avec lui!

— J'en veux un qui soit très effrayant, dit-elle en martelant les syllabes pour lutter contre le tremblement de sa voix.

L'homme se caressa le menton, l'air de réfléchir. Puis, le doigt pointé vers une étagère, il déclara :

— Les gorilles se vendent bien, cette année. Celui-ci a une fourrure en vrais cheveux. C'est le dernier qui me reste.

Carolyn regarda le masque de gorille. Il lui parut banal. Et pas assez terrifiant.

— Hum... Vous n'avez rien qui fasse plus peur? demanda-t-elle.

D'un geste vif, l'homme fit voler sa cape par-dessus son épaule pour la rejeter en arrière.

— Pourquoi pas celui-ci, alors, le jaune aux oreilles pointues? demanda-t-il. Je crois qu'il s'agit d'un personnage de *Star Trek*. Il m'en reste seulement quelques-uns.

— Non, répondit Carolyn en secouant la tête. Je voudrais quelque chose qui fasse vraiment peur.

Un sourire étrange apparut sous la moustache noire. Les yeux de l'homme cherchaient les siens, comme s'il avait voulu lire dans ses pensées.

— Regarde, dit-il, avec un grand geste de la main en direction des étagères. Tout ce qui me reste est là.

Carolyn se retourna pour examiner les masques. Un cochon doté de longues et hideuses défenses, avec du sang dégoulinant du groin, attira son attention. « Pas mal », pensa-t-elle. Mais ce n'était pas encore le déguisement idéal.

À côté du cochon, un masque de loup-garou hirsute souriait en découvrant ses crocs effilés d'une éclatante blancheur. Mais il était, lui aussi, un peu trop banal, décida Carolyn.

Son regard s'arrêta sur un masque verdâtre de Frankenstein, sur un masque de Freddy Kreuger vendu avec la main dudit Freddy – ses longues lames de couteau en guise de doigts –

puis sur un masque de E.T.

« Il n'y a rien, dans tout cela, de vraiment effrayant, se dit Carolyn, qui sentait le découragement la gagner. Je veux quelque chose qui fasse bondir Andrew et Steve, qui les fasse mourir de peur! »

— Il va falloir que tu te décides, intervint l'homme à la cape d'une voix douce.

Il était passé derrière l'étroit comptoir placé à l'entrée de la boutique et introduisait une clé dans la serrure de la caisse enregistreuse.

— N'oublie pas que la boutique est fermée.

— Pardonnez-moi, commença Carolyn. Mais...

Elle fut interrompue par la sonnerie du téléphone. L'homme tendit vivement la main pour décrocher et se mit à parler à voix basse, en tournant le dos à Carolyn.

Celle-ci fit quelques pas vers le fond du magasin, lentement, en étudiant les masques au passage. Elle s'arrêta une seconde devant un masque de chat noir aux grands crocs jaunes assez répugnants. Un masque de vampire aux lèvres ensanglantées voisinait avec un masque souriant, au crâne chauve : l'oncle Fester de *La Famille Addams*.

« Ça ne va pas, ça ne va pas du tout », se

répétait Carolyn en fronçant les sourcils.

Elle hésita devant une porte entrouverte tout au fond de la boutique. Y avait-il une autre salle, avec d'autres masques?

Elle s'avança encore un peu. Le vendeur, caché derrière sa grande cape, continuait à parler au téléphone sans lui prêter attention.

Carolyn poussa timidement la porte, qui s'ouvrit en grinçant. La pièce, de petites dimensions, baignait dans une faible lumière orangée. Carolyn fit encore un pas, franchit le seuil et resta bouche bée.

Deux douzaines d'yeux morts, fichés dans des têtes posées sur des étagères braquaient sur elle leurs regards aveugles.

Carolyn s'était immobilisée, pétrifiée sur place à la vue de ces visages déformés, grimaçants, tordus. « Des masques, se dit-elle, ce ne sont que des masques! »

Mais ils étaient si affreux, si monstrueux, si *vrais*, qu'elle en avait le souffle coupé.

Elle se retint au chambranle de la porte, n'osant pas faire un pas de plus. Et de là, elle examina, un par un, les masques qui grimaçaient dans la pénombre rougeoyante.

L'un d'eux avait des cheveux jaunes, longs et raides comme des fils de fer, tombant sur son front verdâtre anormalement bombé. Entre deux mèches, on voyait pointer la tête hirsute d'un rat dont les petits yeux méchants luisaient comme des diamants noirs.

Le masque voisin était borgne, un gros clou enfoncé dans l'une de ses orbites. Du sang coulait le long de la joue décharnée, un sang si rouge, si brillant, que Carolyn aurait juré qu'il coulait vraiment.

Puis suivait le masque d'un visage tout écorché : des lambeaux de chair en putréfaction pendaient, découvrant l'os. Un énorme insecte noir, une sorte de monstrueuse punaise, apparaissait entre les dents pourries teintées de jaune et de vert.

Carolyn était partagée entre l'horreur et la curiosité. Elle avança encore d'un pas. Les lattes du parquet craquèrent sous son poids.

Il fallait qu'elle voie tout ça de plus près! Ces masques semblaient si réels, si hideusement réels! Plus on s'approchait, plus on y découvrait de détails. À croire qu'ils étaient faits de chair et de peau, et non de matière plastique ou de caoutchouc.

« Ils sont parfaits! se dit-elle, le cœur battant. Exactement ce que je voulais. Posés sur ces étagères, ils sont déjà *terrifiants*! »

Elle imagina Andrew et Steve voyant l'un de ces masques s'avancer vers eux dans la nuit. Elle se vit surgissant de derrière un arbre en poussant un cri terrible qui leur glacerait le sang...

Elle savourait d'avance l'expression épouvantée qui apparaîtrait sur le visage des deux garçons avant qu'ils ne s'enfuient à toutes jambes en hurlant de terreur!

Parfait. Parfait!

Comme ce serait drôle! Et quel triomphe pour elle!

Carolyn prit une profonde inspiration et fit un dernier pas pour s'approcher des étagères. Son regard se fixa sur l'un des masques – celui qui lui semblait le plus affreux.

Il avait un énorme crâne chauve. Sa peau était d'une teinte jaune-vert évoquant la pourriture. Ses gros yeux, injectés de rouge et d'orange, luisaient d'un étrange éclat au fond de leurs orbites. Le nez, très large, était enfoncé comme celui d'un squelette. La bouche aux lèvres rouge sombre s'ouvrait sur des dents longues et pointues – des crocs de bête sauvage.

Sans le quitter des yeux, Carolyn tendit la main vers le masque hideux.

Et à l'instant où elle le touchait, le masque poussa un cri.

— Oh!

Carolyn cria à son tour en retirant vivement sa main.

Le masque la regardait avec un mauvais sourire. Ses yeux émirent une lueur orangée. Les lèvres se retroussèrent un peu plus sur les dents pointues. Carolyn se sentit soudain prise de vertige.

— Que se passe-t-il ici?

Comme elle reculait en chancelant pour s'éloigner des étagères, elle comprit que cette exclamation furieuse ne venait pas du masque.

Quelqu'un avait parlé derrière elle.

Carolyn fit volte-face et vit, debout dans l'encadrement de la porte, l'homme à la cape noire, qui la fusillait du regard. Ses yeux sombres lançaient des éclairs. Sa bouche se crispait en une expression mauvaise.

— Euh... J'ai cru... commença Carolyn, avec un bref regard vers le masque.

Elle était affreusement gênée. Son cœur cognait à tout rompre dans sa poitrine.

— Tu n'aurais pas dû voir ceux-ci! Je regrette, dit l'homme d'une voix sourde, chargée de menaces.

Il fit un pas vers elle, sa cape frôlant la porte.

« Que va-t-il faire? se demanda Carolyn, le cœur battant, la gorge nouée. Pourquoi s'approche-t-il ainsi? Que va-t-il me faire? »

— Je regrette, répéta l'homme, ses petits yeux étincelants braqués sur elle.

Il fit encore un pas.

Carolyn recula... et poussa un cri perçant quand son dos heurta les étagères.

Le masque hideux tressaillit et se mit à trembler comme s'il avait été vivant.

— Que... que voulez-vous dire? parvint-elle à articuler d'une voix blanche. Je... je voulais seulement...

— Je regrette que tu aies vu ceux-là, car ils ne sont pas à vendre, dit l'homme sans changer de ton.

Il passa devant elle pour remettre l'un des masques sur son support.

Carolyn laissa échapper un profond soupir de soulagement. « Il n'avait pas l'intention de me faire peur, pensa-t-elle. C'est moi qui me fais peur, et personne d'autre. »

Croisant les bras sur sa poitrine, elle s'efforça de retrouver son calme et d'apaiser les battements de son cœur. Et elle se poussa sur le côté pendant que l'homme continuait à arranger les masques sur leurs étagères. Il les manipulait avec précaution, les recoiffant d'une main légère, époussetant avec des gestes tendres leurs crânes boursouflés et maculés de sang.

— Ils ne sont pas à vendre? Mais pourquoi? demanda Carolyn.

Sa voix tremblait encore et dérapait vers les aigus.

— Trop effrayants, répondit l'homme.

Il se tourna vers elle avec un sourire.

— Mais justement! J'en veux un qui soit vraiment horrible! protesta Carolyn. Je veux celui-ci.

Elle lui montra du doigt celui qu'elle avait touché, le masque à la bouche grande ouverte et aux affreuses dents pointues.

— Trop effrayant, répéta l'homme en rejetant sa cape par-dessus son épaule.

— Mais... c'est l'Halloween, ce soir! s'écria Carolyn.

— J'ai là-bas un masque de gorille qui fait vraiment peur, proposa l'homme avec un geste de la main, l'invitant à retourner dans la première pièce. Tu vas voir. Il a l'air de gronder. Je te le laisserai à un bon prix, puisque tu es ma dernière cliente.

Carolyn secoua la tête en croisant les bras sur sa poitrine d'un air de défi.

— Ce n'est pas un masque de gorille qui fera peur à Andrew et Steve, dit-elle.

L'homme changea brusquement d'expression.

— À qui?

— Ce sont des amis à moi, expliqua Carolyn. Il me faut celui-là, insista-t-elle. Il est tellement horrible! J'ai presque peur de le toucher. Il est parfait.

— Trop effrayant, répéta l'homme, sans quitter le masque des yeux.

Sa main effleura le front verdâtre.

— Je ne peux vraiment pas prendre une telle responsabilité.

— Mais il a l'air si vrai! s'exclama Carolyn, enthousiaste. Ils vont tous les deux s'évanouir en le voyant. J'en suis certaine. Et après ça, ils n'essaieront plus jamais de me faire peur!

— Ma petite, s'impatienta l'homme en jetant un coup d'œil à sa montre, je te prie maintenant de te décider.

— S'il vous plaît! supplia Carolyn. S'il vous plaît, monsieur, vendez-le-moi! Tenez!

Plongeant la main dans la poche de son jean, elle en retira l'argent qu'elle avait apporté.

— Ma petite, je...

— Trente dollars, interrompit Carolyn en mettant les billets dans la main de l'homme. C'est assez, n'est-ce pas?

— Ce n'est pas une question de prix, dit-il. Ces masques ne sont pas à vendre.

Déjà, il se dirigeait vers la sortie de la boutique en soupirant d'un air excédé.

— Je vous en prie! J'en ai besoin. J'en ai réellement besoin, implora Carolyn en lui emboîtant le pas.

— Ces masques sont trop réels, dit l'homme.

Il se retourna et fit un geste en direction des étagères.

— Je te préviens...

— Vous voulez bien? Vous voulez bien?

Il hocha la tête en fermant les yeux.

— Tu vas le regretter, dit-il.

— Non! Je ne le regretterai pas. Je *sais* que je ne le regretterai pas! s'écria joyeusement Carolyn en voyant qu'il était sur le point de céder.

L'homme ouvrit les yeux et secoua la tête. Il semblait se demander s'il devait refuser.

Avec un nouveau soupir, il mit l'argent dans la poche de sa veste. Puis il prit délicatement le masque sur l'étagère, redressa les oreilles pointues, et le lui tendit.

— Oh, merci! claironna Carolyn en le lui arrachant des mains. Il est tout simplement parfait! Absolument parfait!

Elle avait pris le masque par le nez, entre le pouce et l'index. Elle fut surprise par le contact de cette matière tendre et bizarrement tiède.

— Merci encore, lança-t-elle en se précipitant vers la sortie.

— Tu ne veux pas le mettre dans un sac? demanda l'homme.

Mais Carolyn n'était déjà plus là.

Elle traversa la rue et s'éloigna en courant. Le ciel était maintenant d'un noir d'encre. On n'y voyait pas briller la moindre étoile. La chaussée restait luisante après la pluie de l'après-midi.

« Ce sera une nuit d'Halloween comme il n'y

en a jamais eu! songea Carolyn, ravie. Parce que cette fois, je tiens ma revanche! »

Elle mourait d'impatience à l'idée de surprendre Steve et Andrew. Elle se demanda quel serait leur déguisement. Ils avaient parlé l'un et l'autre de se peindre le visage en bleu, de se teindre les cheveux de la même couleur et de porter des bonnets blancs pour se transformer en Schtroumpfs.

Nul. Vraiment nul!

Carolyn s'arrêta sous un lampadaire et souleva le masque en le tenant par ses deux oreilles pointues. Le masque lui sourit, ses deux rangées de crocs pendant hors des lèvres épaisses et caoutchouteuses.

La jeune fille coinça le masque sous son bras et courut sans s'arrêter jusque chez elle.

Quand sa maison fut en vue, elle ralentit le pas pour regarder les fenêtres illuminées et la lumière du porche qui projetait une lueur sur la pelouse.

« Il faut que j'essaie ce masque sur quelqu'un, pensa-t-elle, impatiente. Il faut que je sache s'il fait vraiment peur. »

Elle vit en pensée le visage de son frère, son sourire espiègle.

— Noah. Mais bien sûr! dit-elle à voix haute. Il l'a bien cherché!

Elle se hâta vers la maison. Noah serait sa première victime.

10

Carolyn ouvrit la porte, entra sans faire de bruit et laissa tomber son blouson sur le plancher. Une bonne chaleur régnait à l'intérieur de la maison, et l'odeur agréable du cidre chaud flottait dans l'air.

« C'est jour de fête, maman est à son affaire », pensa-t-elle avec un sourire.

Elle traversa l'entrée sur la pointe des pieds en tenant le masque devant elle et tendit l'oreille.

« Noah, où es-tu? Où es-tu, cher petit frère? » Noah se trouvait plus courageux que Carolyn, et ne cessait de s'en vanter. Il passait son temps à lui glisser des bestioles dans le dos et à laisser des serpents en caoutchouc entre ses draps; tout lui était bon pour arracher à sa sœur des cris de terreur.

Elle entendit marcher à l'étage.

« Il est certainement dans sa chambre, en train de passer son costume d'Halloween », se dit-elle.

Noah avait décidé, au dernier moment, de se déguiser en coquerelle. Mme Caldwell avait mis la maison sens dessus dessous pour trouver de quoi lui confectionner de longues antennes pointues et une carapace à fixer sur son dos.

« Eh bien, c'est notre petite coquerelle qui va être surprise! » songea méchamment Carolyn.

Elle regarda son masque. Il y avait bien de quoi envoyer la petite coquerelle se cacher sous l'évier! Elle s'immobilisa au pied de l'escalier. De là, elle entendait la musique assourdissante provenant de la chambre de son frère.

Elle prit le masque par le cou à deux mains, s'en coiffa et tira lentement vers le bas.

Elle fut surprise de le sentir aussi tiède. Elle ne s'attendait pas non plus à ce qu'il la serre autant. Et il avait une odeur bizarre, un peu aigre, comme celle d'une pile de journaux humides qu'on aurait laissés des années durant dans un grenier ou dans un garage.

Elle tira sur le masque pour amener devant ses yeux les trous qui lui permettraient d'y voir. Puis elle pressa le crâne chauve et boursouflé pour l'appliquer sur ses cheveux, et tira une dernière fois sur le cou.

« J'aurais dû me mettre devant un miroir, se dit-elle, inquiète. Je ne peux pas voir s'il me va bien. »

Le masque la serrait terriblement, et elle s'entendait respirer à grand bruit à travers le nez aplati. Elle se força à oublier l'odeur aigre qui lui remplissait le nez.

Elle monta l'escalier en se tenant solidement à la rampe. Elle ne voyait pas bien les marches à travers ses nouveaux « yeux ». Elle devait monter lentement, une marche à la fois.

La musique se tut à l'instant où elle atteignit le palier. Elle fila silencieusement le long du corridor pour s'arrêter devant la porte de Noah.

Celle-ci était entrouverte. Carolyn passa la tête à l'intérieur de la chambre brillamment éclairée. Son frère, debout devant le miroir, s'appliquait à fixer les antennes sur sa tête.

— À nous deux, Noah! lança Carolyn.

Sa voix, à sa grande surprise, était devenue basse et profonde. Ce n'était plus du tout sa voix!

— Quoi?

Noah sursauta et se retourna.

— Noah... je te *tiens!* cria Carolyn de sa grosse voix rauque et diabolique.

— Non! cria Noah, terrifié.

Mais il avait la gorge serrée, et on l'entendait à peine. Carolyn le vit pâlir sous son maquillage. Elle bondit à travers la pièce, les bras tendus, comme pour l'attraper.

— Non... laissez-moi! supplia Noah, les traits déformés par la terreur. Qui êtes-vous? Comment êtes-vous entré ici?

« Il ne me reconnaît pas! pensa Carolyn, ravie. Et il est mort de peur! »

Était-ce à cause de ce visage hideux? De cette voix caverneuse? Des deux à la fois?

« Peu importe, se dit-elle. Mais ce masque est décidément *formidable!* »

— Je te *TIENS*, Noah! lança-t-elle, toujours surprise par le son que rendait sa propre voix.

— Non! *Laissez-moi!* répéta Noah dans un souffle. Maman! Maman!

Il partit à reculons vers le lit. Comme il tremblait de tous ses membres, les antennes s'agitaient follement au-dessus de sa tête.

— Maman! *Au secours!*

Carolyn, n'y tenant plus, éclata de rire. Mais le rire jaillit du masque comme un roulement de tonnerre.

— C'est moi, idiot! s'écria-t-elle. Quelle poule

mouillée tu fais!

— Hein?

Recroquevillé contre le lit, Noah la fixait d'un regard incrédule.

— Tu ne reconnais pas mon jean? Mon chandail? C'est moi, gros malin! insista Carolyn.

— Mais ta tête... ce masque! dit enfin Noah. Ça... ça m'a vraiment fait peur. Je...

Il regardait le masque, sidéré.

— Et cette voix... ce n'est pas la tienne, Carolyn. J'ai cru...

Carolyn tira sur le masque pour le retirer. Il était chaud et collant sur son visage.

Il ne bougea pas d'un centimètre.

Elle le saisit à deux mains par les oreilles, et tira. Rien. Elle tira plus fort. Impossible.

Elle essaya alors de le faire glisser en le tirant par le crâne. En vain. Le masque ne bougeait pas.

— Eh! Il ne veut plus s'enlever! cria-t-elle paniquée. Je ne peux plus l'enlever... Il n'y a rien à faire, je n'arrive pas à l'enlever!

11

— Mais qu'est-ce qui m'arrive? hurla Carolyn en tirant à deux mains sur le masque de toutes ses forces.

— Arrête! cria Noah.

Le ton était furieux, mais il y avait de la terreur dans son regard.

— Ne fais pas l'idiote, Carolyn! J'ai peur!

— Je *ne fais pas* l'idiote, protesta Carolyn dont la grosse voix caverneuse tremblait maintenant. Je t'assure que je ne peux plus... je n'arrive... plus... à... enlever ce truc!

— Ça suffit! Tu n'es pas drôle!

Carolyn parvint enfin, non sans peine, à glisser ses doigts sous le cou du masque. Elle le décolla de sa peau, tira encore un grand coup, et sa tête apparut.

— Ouf!

Quel plaisir de se retrouver au contact de l'air!

Il lui parut doux et frais. Soulagée, elle jeta le masque dans la direction de Noah.

— Pas mal, mon nouveau masque, tu ne trouves pas? demanda-t-elle, encore tout essoufflée.

Noah ne fit pas un geste pour attraper l'objet, qui atterrit sur le lit. Puis, se ravisant, il le prit du bout des doigts pour l'examiner.

— Où l'as-tu trouvé? dit-il, un doigt pointé vers les épouvantables crocs.

— Au nouveau magasin, répondit Carolyn en essuyant la sueur qui lui couvrait le front. Quelle chaleur, là-dedans!

— Je peux l'essayer? demanda Noah en glissant ses doigts dans les orbites.

— Non, pas maintenant. Je suis en retard.

Carolyn se remit à rire.

— Quelle peur tu as eue! Si tu avais vu ta tête!

Noah lui lança le masque, l'air soudain renfrogné.

— Je faisais semblant, protesta-t-il. J'avais très bien vu que c'était toi.

— Tu parles! dit Carolyn avec un sourire ironique. C'est pour me faire plaisir que tu t'es mis à hurler comme un fou?

— Je n'ai pas *hurlé*, se défendit Noah. J'ai fait comme si j'avais peur, c'est tout. Pour te faire plaisir.

— Oui, bien sûr, murmura Carolyn.

Elle tourna les talons et se dirigea vers la porte, le masque entre les mains.

— Comment fais-tu pour prendre cette voix? demanda Noah à l'instant où elle franchissait le seuil.

Carolyn se retourna et le regarda. Elle ne souriait plus, et semblait interloquée.

— C'est cette grosse voix qui est effrayante, expliqua Noah, les yeux fixés sur le masque qu'elle tenait à la main. Comment fais-tu?

— Je n'en sais rien, répondit Carolyn, pensive. Je n'en sais vraiment rien.

Elle repartit vers sa chambre, et lorsqu'elle y entra, elle avait retrouvé son sourire. Le masque avait produit son effet. C'était une grande réussite.

Noah pouvait toujours prétendre le contraire, mais il avait bien failli s'évanouir de peur dans sa carapace de coquerelle.

« Gare à vous, Andrew et Steve, se dit-elle avec jubilation. C'est maintenant votre tour! »

Elle s'assit sur son lit, jeta un coup d'œil au

réveil posé sur la table de chevet. Il ne lui restait que quelques minutes avant le rendez-vous prévu devant la maison de Sabrina.

Quelques minutes qu'il lui fallait mettre à profit pour imaginer le meilleur moyen de leur infliger la plus belle frousse de leur vie!

« Je ne vais pas bêtement leur sauter dessus, se dit Carolyn en effleurant du bout des doigts les crocs acérés. Ce serait trop banal. Il faut faire quelque chose qui les impressionne vraiment. Quelque chose dont ils se souviendront longtemps. »

Elle caressa les oreilles pointues du masque. Puis elle sourit. Elle venait d'avoir une idée.

12

Carolyn tira du placard un vieux manche à balai et l'épousseta pour l'examiner. Il était en bois, et très long.

— Parfait, dit-elle à mi-voix.

Elle s'assura que sa mère se trouvait toujours dans la cuisine. Mme Caldwell, elle en était certaine, n'approuverait pas son projet. Elle croyait encore que sa fille allait se déguiser en canard.

Carolyn traversa le salon sur la pointe des pieds en direction de la cheminée, où elle prit la sculpture en plâtre que sa mère y avait laissée.

« C'est fou ce qu'elle me ressemble! songea-t-elle en tenant la sculpture à hauteur de son visage pour la regarder attentivement. Et on a l'impression qu'elle va parler! Maman a vraiment du talent. »

Avec précaution, elle plaça la tête en plâtre

sur le manche à balai. Elle tenait parfaitement en équilibre. Elle la porta devant le grand miroir du salon. « On dirait que je tiens ma propre tête au bout d'une pique. Formidable! »

Elle posa le manche à balai et la tête contre le mur pour enfiler le masque. De nouveau, l'odeur aigre lui emplit les narines, et elle sentit sur son visage la chaleur que dégageait le masque.

Il semblait se tendre et se contracter au contact de sa peau, comme pour mieux l'envelopper.

En levant les yeux vers le miroir, elle ne put réprimer un sursaut – elle se faisait peur à *elle-même!* « On dirait un vrai visage, pensa-t-elle, incapable de détacher son regard de son reflet. On dirait même que mes yeux font partie de ce masque. »

Comme elle remuait ses propres lèvres, elle vit s'ouvrir et se refermer la bouche répugnante.

« Et on croirait une vraie bouche! Ce masque n'a pas l'air d'un masque. Il a l'air d'un visage, laid et difforme, mais un vrai visage. »

Étonnée, Carolyn passa ses mains sur le front grotesquement bombé, sur l'énorme crâne chauve qui emprisonnait ses cheveux.

Ce masque était extraordinaire! Elle ne

comprenait pas comment le marchand avait pu hésiter à le lui vendre. C'était vraiment le masque le plus effrayant, le plus épouvantable qu'elle ait jamais vu.

« La terreur de l'avenue des Érables, ce soir, ce sera moi! pensa-t-elle en regardant son reflet hideux dans le miroir. Les enfants vont faire des cauchemars pendant des semaines. Et plus particulièrement Andrew et Steve. »

— *Bouh!* murmura-t-elle, heureuse d'entendre de nouveau la grosse voix. Je suis prête.

Elle prit le manche à balai en tenant en équilibre la tête sculptée à son extrémité et se dirigea vers la porte.

Elle s'arrêta en entendant sa mère qui lui dit de la cuisine :

— Carolyn attend un peu! Je veux te voir dans ton costume de canard!

— Oh! oh! gronda Carolyn à voix haute. Maman n'aimera pas ce costume.

13

Carolyn s'immobilisa devant la porte. Elle entendait les pas de sa mère dans le couloir.

— Je veux te voir, ma chérie! Est-ce que ton déguisement est bien à ta taille?

« J'aurais peut-être mieux fait de la mettre au courant, songea Carolyn, qui se sentit soudain coupable. Mais je craignais de lui faire de la peine en ne mettant pas ce costume de canard. Si elle me voit maintenant, elle risque d'avoir tout un choc. Et elle sera furieuse, en plus, quand elle verra que j'ai emprunté sa sculpture. Elle va m'obliger à la remettre sur la cheminée, c'est sûr. Et tout sera raté. »

— Je suis en retard, maman! lança Carolyn, étonnée, une fois de plus, d'entendre sa voix caverneuse à travers le masque. On se verra plus tard!

Déjà, elle ouvrait la porte pour s'enfuir.

— Tu as bien une seconde pour que je te voie dans ton déguisement! ajouta sa mère en apparaissant à l'angle du corridor.

« Je suis coincée, pensa Carolyn en réprimant un gémissement. Tout est fichu. »

La sonnerie du téléphone retentit.

Mme Caldwell, aussitôt, fit demi-tour et repartit vers la cuisine.

— Ah! je vais répondre. C'est certainement ton père qui nous appelle de Chicago.

Elle disparut dans la cuisine.

— Je te verrai quand tu rentreras, Carolyn. Sois prudente, ma chérie!

Carolyn poussa un soupir de soulagement.
« Sauvée par le gong », pensa-t-elle.

Tenant toujours la tête sculptée au bout du manche à balai, elle se hâta de franchir la porte, la referma soigneusement derrière elle et partit en courant à travers le jardin.

Le temps s'était éclairci, mais la nuit était froide. Le croissant de lune montait au-dessus des arbres aux branches dénudées. Les feuilles mortes qui jonchaient le trottoir se soulevaient sur son passage.

Elle devait rencontrer Andrew et Steve devant la maison de Sabrina. Elle brûlait d'impatience.

Sa tête dansait sur le manche à balai quand elle courait. La maison du coin était décorée pour l'Halloween. Des lumières orange ornaient le perron. Deux grosses citrouilles souriantes encadraient la porte. Un squelette en carton était suspendu au début de l'allée.

« J'adore l'Halloween! » songea Carolyn, aux anges. Elle ne tarda pas à bifurquer sur sa droite pour s'engager dans la rue où habitait Sabrina.

Par le passé, elle avait eu très peur le soir de l'Halloween. Ses amis lui jouaient toujours des tours pour lui faire peur. L'année dernière, par exemple, Steve avait glissé, dans son sac, un rat de caoutchouc qui avait l'air on ne peut plus réel.

Lorsque Carolyn avait mis la main dans son sac, elle avait touché quelque chose de doux et de poilu. Elle avait retiré le rat du sac et s'était aussitôt mise à hurler à pleins poumons. Elle avait eu tellement peur qu'elle avait laissé échapper tous ses bonbons sur le trottoir.

Andrew et Steve avaient ri à en pleurer, et Sabrina aussi. Ses amis lui gâchaient toujours l'Halloween. Ils adoraient lui faire peur et la faire crier.

« Mais cette année, ce n'est pas moi qui vais crier, pensa Carolyn. Cette année, c'est moi qui vais faire crier les autres. »

La maison de son amie se trouvait à l'extrémité de la rue. Carolyn pressa le pas. Les branches nues semblaient frissonner au-dessus d'elle. La lune disparut derrière un gros nuage et la nuit, aussitôt, se fit plus noire.

La tête sculptée dansait à l'extrémité du manche à balai et, à un moment, faillit tomber. Carolyn ralentit et la regarda attentivement.

La sculpture semblait surveiller le trottoir de son regard fixe, comme si elle s'attendait à voir surgir quelque danger. Et elle était, dans cette semi-obscurité, plus réelle que jamais. Les ombres qui jouaient sur elle donnaient l'impression que sa bouche et ses yeux bougeaient.

Carolyn entendit un rire et se retourna. De l'autre côté de la rue, un groupe d'enfants tout excités sous leurs déguisements prenaient d'assaut un perron brillamment éclairé. Elle distingua une Tortue Ninja, un Freddy et une princesse en longue robe rose, la tête ceinte d'une couronne de papier argenté. C'étaient de jeunes enfants. Deux mères, restées au bas des marches, veillaient sur eux.

Carolyn vit la porte s'ouvrir et les enfants

recevoir leurs bonbons. Puis elle reprit son chemin. Arrivée devant la maison de Sabrina, elle gravit quelques marches et pénétra dans le halo de la lanterne qui éclairait la porte d'entrée. Elle entendait des voix à l'intérieur : celle de Sabrina criant quelque chose à sa mère, et d'autres, provenant sans doute de la télévision.

Carolyn vérifia de sa main libre que son masque était bien ajusté. Puis elle vérifia que la tête sculptée tenait toujours au bout du manche à balai.

Elle tendit la main pour sonner, mais soudain s'immobilisa.

D'autres voix, derrière elle cette fois.

Elle se retourna pour scruter l'obscurité. Deux garçons déguisés approchaient sur le trottoir, tout en se donnant de joyeuses bourrades.

Andrew et Steve!

« J'arrive juste à temps », pensa Carolyn, ravie. Sautant au bas des marches, elle se tapit derrière un buisson.

« Allons, les gars, se dit-elle, le cœur battant. Préparez-vous à trembler! »

14

Carolyn jeta un coup d'œil par-dessus le buisson. Les deux garçons étaient à mi-chemin dans l'allée menant à l'entrée de la maison.

Il faisait trop sombre pour discerner les détails de leurs déguisements. L'un portait un long manteau et un feutre mou à la Indiana Jones. Elle ne parvint pas à voir l'autre.

Carolyn prit une grande inspiration et se prépara à bondir sur eux. Elle tenait le manche à balai d'une main moite.

« Zut! je tremble, se dit-elle. Je tremble de tous mes membres! »

Le masque lui semblait brûlant, comme si son excitation l'avait échauffé. Elle respirait à grand bruit à travers le nez écrasé.

Sans se presser, en échangeant des coups d'épaules pour se bloquer comme des joueurs de football, les garçons avançaient dans l'allée. Ils seraient bientôt à sa hauteur. Indiana Jones dit quelque chose qu'elle ne comprit pas. L'autre, qui avait une voix haut perchée, lâcha un grand rire. Immobile dans le noir, Carolyn attendit qu'ils soient presque à portée de la main, devant le buisson qui l'abritait.

« Bon! Allons-y! »

Brandissant le manche à balai surmonté de sa tête au regard fixe, elle jaillit comme un diable hors de sa boîte.

Les deux garçons, surpris, laissèrent échapper un cri. Puis elle vit leurs yeux s'agrandir quand ils aperçurent son masque.

Un rugissement furieux sortit de sa gorge. Un son si rauque, si caverneux et si puissant tout à la fois qu'elle en fut elle-même effrayée.

Tout comme les deux garçons, qui se mirent à hurler. L'un d'eux tomba même à genoux dans l'allée.

Ils regardaient maintenant la tête qui dansait dans la pénombre juste au-dessus d'eux et qui les observait de son regard étrangement fixe.

Un nouveau rugissement jaillit de la gorge de Carolyn. Il partait sur une note basse, qui semblait venir de très loin, avant de s'élever vers les aigus pour déchirer l'air comme le cri d'une bête sauvage.

— Nooooon! hurla l'un des garçons.

— *Qui* es-tu? cria l'autre. Laisse-nous tranquilles!

À cet instant, Carolyn entendit un pas rapide sur les feuilles mortes qui tapissaient le sol de l'allée. Elle se retourna et vit une femme arriver en courant, drapée dans un grand imperméable.

— Dis-donc, toi, qu'est-ce que tu fiches ici? Tu as fait peur à mes enfants!

— Pardon?

Carolyn fit un effort pour avaler sa salive. Elle regarda ses deux victimes.

— Attendez! dit-elle, en réalisant qu'il ne s'agissait pas d'Andrew et de Steve.

— Qu'est-ce que tu fais ici? répéta la femme, hors d'haleine.

Elle avança d'un pas et se plaça entre les deux garçons pour les prendre chacun par l'épaule.

— Ça va, vous deux?

— Oui. Ça va, maman, répondit Indiana Jones.

L'autre portait un nez rouge de clown et s'était peint la figure en blanc.

— La fille... elle nous a sauté dessus à l'improviste, dit-il à sa mère, en évitant le regard de Carolyn. Ça nous a fait peur.

La femme se tourna vers Carolyn, furieuse.

— Tu n'as rien trouvé de mieux que de faire peur à ces deux petits? Pourquoi ne joues-tu pas avec des enfants de ton âge?

En temps normal, Carolyn se serait excusée. Elle aurait expliqué à cette femme qu'il s'agissait d'une méprise, qu'elle croyait avoir affaire à deux autres garçons.

Mais là, dissimulée sous son masque hideux, avec l'impression d'entendre encore l'étrange rugissement qui venait de s'échapper de sa gorge, elle n'avait pas la moindre envie de s'excuser.

Elle éprouvait... de la colère. Et elle ne savait pas très bien pourquoi.

— Fichez le camp! lâcha-t-elle d'une voix sourde en menaçant la femme de son manche à balai.

La tête, sa tête en plâtre, regardait fixement les deux garçons et leur mère.

— Qu'est-ce que tu dis? demanda la femme en élevant le ton. Qu'est-ce que tu dis?

— J'ai dit *fichez le camp*! répéta Carolyn d'une voix si caverneuse et si cruelle qu'elle en fut elle-même épouvantée.

La femme se campa devant elle, les bras

croisés sur son imperméable. Elle plissa les paupières pour mieux la regarder.

— Qui es-tu, toi? Comment tu t'appelles? Tu habites par ici?

— Maman... allons-nous-en, intervint le garçon à la tête de clown en tirant sa mère par la manche.

— Oui, viens, approuva son frère.

— *Fichez le camp*, gronda Carolyn. C'est *UN AVERTISSEMENT!*

La femme la fusillait du regard et ne semblait pas décidée à bouger.

— Ce n'est pas parce qu'on fête l'Halloween, dit-elle, que tu as le droit de...

— Maman, on veut aller chercher des bonbons! s'écria le clown, interrompant sa mère. Viens!

— On perd notre temps! renchérit son frère.

La respiration de Carolyn s'était accélérée, et elle fut surprise d'entendre les grognements et les halètements qui sortaient de son masque. « On dirait une bête, pensa-t-elle. Qu'est-ce qui m'arrive? »

Une fureur incontrôlable s'était déchaînée en elle et ne cessait de croître. Ses joues étaient brûlantes, il lui semblait que son sang s'était mis à bouillir dans ses veines. Son corps tout entier était agité d'un terrible tremblement, prêt à exploser.

« Je vais étriper cette femme! Je vais la mettre en bouillie! »

« Je vais la déchiqueter! Je vais lui arracher la peau des os! »

Des pensées furieuses se bousculaient dans la tête de Carolyn.

Elle banda tous ses muscles, fléchit ses genoux, prête à bondir.

Mais avant qu'elle ait pu esquisser un geste, les deux gamins entraînèrent leur mère.

— Partons, maman!

— Oui. Partons. Elle est folle!

« Eh, oui! Je suis folle. Folle, folle, FOLLE! » Le mot résonna et se répercuta comme un grondement de tonnerre dans la tête de Carolyn. Le masque était de plus en plus chaud, de plus en plus serré sur son visage.

La femme lui lança un dernier regard furibond. Puis elle tourna les talons et repartit avec ses deux garçons.

Carolyn, le souffle court, les regarda s'éloigner. Elle avait une terrible envie de les poursuivre – de leur faire *VRAIMENT* peur!

Mais un cri, tout près, l'arrêta dans son élan. Sabrina, debout sur la plus haute marche du perron, s'appuyait d'une main à la porte qu'elle venait d'ouvrir. Un mélange de crainte et d'étonnement se lisait sur son visage.

— Qui est là? demanda-t-elle en scrutant l'obscurité.

Sabrina s'était déguisée en femme-panthère, avec un costume gris et un masque argenté. Ses cheveux bruns étaient tirés en arrière. Elle regardait Carolyn avec insistance, sans rien dire.

— Tu ne me reconnais pas? lança Carolyn de sa voix caverneuse en se rapprochant.

Elle vit un éclair d'épouvante dans le regard de son amie. Sabrina, cramponnée à la poignée de la porte, ne se décidait pas à franchir le seuil.

— C'est moi, Carolyn!

Elle agita le manche à balai au-dessus de sa tête, comme pour faire un signe de reconnaissance. Sabrina mit une main devant sa bouche et ouvrit de grands yeux en apercevant la tête qui se balançait dans la nuit.

— Carolyn! C'est... c'est *toi?* parvint-elle enfin

à articuler.

Elle regardait la tête, puis le masque, puis de nouveau la tête...

— Bonsoir, Sabrina, grogna Carolyn. C'est bien moi!

Sabrina continuait à l'examiner.

— Ce masque! s'écria-t-elle, soulagée. Il est génial! Vraiment *génial*. Il fait peur.

— Je trouve ton costume très bien, dit Carolyn en s'approchant encore.

Elle était maintenant en pleine lumière. Sabrina leva les yeux.

— Cette tête... comme elle a l'air vraie! Où l'as-tu trouvée?

— Mais c'est ma tête, ma *vraie* tête! plaisanta Carolyn.

Sabrina ne la quittait pas des yeux.

— Franchement, Carolyn, quand je l'ai vue...

— C'est ma mère qui l'a faite, expliqua Carolyn. Tu sais qu'elle étudie la sculpture.

— J'ai cru voir une vraie tête, dit Sabrina en frissonnant. Et ces yeux... Ils ont une façon de vous regarder...

Puis elle reporta son attention sur le masque.

— Quand Andrew et Steve vont te voir!

« Vivement qu'ils me voient! » pensa Carolyn.

— Quand est-ce qu'ils arrivent? demanda-t-elle en jetant un coup d'œil vers la rue.

— Steve vient de m'appeler, répondit Sabrina. Il voulait me prévenir qu'ils seraient un peu en retard. Il doit d'abord faire un tour du quartier avec sa petite sœur.

Carolyn soupira, déçue.

— On peut commencer sans eux, proposa Sabrina. Ils nous rejoindront.

— D'accord.

— Je vais chercher mon manteau, et on y va.

Après un dernier regard à la tête qui se balançait à l'extrémité du manche à balai, Sabrina s'engouffra dans la maison et la porte claqua sur elle.

Le vent avait recommencé à souffler quand les deux filles se mirent en route. Les feuilles mortes tourbillonnaient sur le trottoir. Les branches nues s'agitaient et craquaient sous les rafales. Au-dessus des toits sombres et pentus, la lune faisait de brèves apparitions entre les nuages.

Sabrina n'en finissait plus de raconter tous les problèmes qu'elle avait dû résoudre avant d'endosser son déguisement. Au premier essai, il s'était déchiré à la jambe, et il avait fallu le rapporter au magasin. Puis elle avait eu beaucoup de mal à trouver un masque assorti.

Carolyn écoutait son amie en silence. Elle était terriblement déçue qu'Andrew et Steve ne soient pas venus au rendez-vous et elle n'arrivait pas à le cacher.

« Et s'ils ne viennent pas nous rejoindre? se demandait-elle. Si nous ne les voyons pas de la soirée? »

Sabrina lui avait donné un sac pour recueillir les friandises. Carolyn le tenait d'une main, et de l'autre brandissait son manche à balai en le maintenant bien droit pour que la tête sculptée ne tombe pas.

— Alors, Carolyn, tu ne m'as pas dit où tu avais acheté ce masque? Ce n'est pas ta mère qui l'a fait, n'est-ce pas? Tu l'as trouvé dans ce nouveau magasin? Attends, je veux le toucher, tu permets?

Sabrina était d'un naturel bavard. Mais elle semblait décidée, ce soir-là, à battre tous ses records. Carolyn s'arrêta docilement pour permettre à son amie de toucher le masque. Sabrina pressa son doigt contre la joue, et le retira vivement.

— Oh! On dirait une vraie peau!

Carolyn éclata d'un rire méprisant qu'elle ne se connaissait pas.

— Ça, alors! En quoi c'est fait? demanda Sabrina. C'est de la peau, non? Ou peut-être un genre de caoutchouc?

— Sans doute, murmura Carolyn.

— Mais pourquoi c'est chaud comme ça? Ce n'est pas désagréable à porter? Tu dois être en nage, là-dessous?

Prise d'un brusque accès de rage sous cette avalanche de questions, Carolyn posa le sac et le manche à balai.

— Tais-toi! Tais-toi! Mais tais-toi donc! gronda-t-elle.

Puis, avec un cri sauvage, elle saisit Sabrina à la gorge de ses deux mains et se mit à l'étrangler.

16

Sabrina poussa un cri étouffé et faillit tomber à la renverse pour échapper aux mains qui lui serraient le cou.

— Ca... Carolyn! hoqueta-t-elle

Mais sa voix n'était plus qu'un souffle.

« Qu'est-ce qui me prend? se demanda Carolyn, horrifiée, en regardant son amie. Pourquoi ai-je fait cela? »

Elle desserra son étreinte et lança :

— Eh bien, je t'ai eue!

Et elle se mit à rire.

— Si tu avais vu ta tête, Sabrina! Tu as cru que j'allais vraiment t'étrangler?

Sabrina se massait le cou en fronçant les sourcils.

— C'était une blague? Tu m'as fait une peur bleue.

Carolyn rit de plus belle.

— C'est mon personnage qui veut ça, dit-elle, un doigt pointé vers son masque. Il faut ce qu'il faut, n'est-ce pas? Ah-ah! *J'adore* faire peur aux gens! D'habitude, c'est moi qui tremble!

Elle reprit le sac et le manche à balai, replaçant la tête à l'extrémité de celui-ci. Puis elle fonça vers la maison la plus proche. Sur la façade bien éclairée, on avait accroché une pancarte avec les mots : VIVE L'HALLOWEEN!

« Sabrina m'a-t-elle crue quand je lui ai dit que c'était une blague? se demandait-elle en sonnant à la porte. Qu'est-ce qui m'a pris? Pourquoi me suis-je mise en colère, tout à coup? Pourquoi me suis-je jetée sur ma meilleure amie? »

Sabrina avança d'un pas et se plaça à côté de Carolyn au moment où on leur ouvrit la porte. Deux enfants blonds, un petit garçon et une petite fille, apparurent sur le seuil. Leur mère se tenait derrière eux.

— Donnez-moi quelque chose, ou je vous jette un sort! s'écrièrent Carolyn et Sabrina à l'unisson.

— Oh! Regardez donc cet affreux masque! dit la femme à ses deux enfants en souriant à Carolyn.

— Toi, qu'est-ce que tu es? Un chat? demanda le petit garçon à Sabrina.

Sabrina lui répondit par un miaulement.

— Je suis la Femme-Panthère, répliqua-t-elle.

— L'autre, je ne l'aime pas du tout! s'exclama la petite fille en se tournant vers sa mère. Il fait *trop peur!*

— Mais non, ce n'est qu'un masque pour s'amuser, répondit sa mère d'un ton rassurant.

— Il fait trop peur. Il me fait peur! répéta la petite fille.

Carolyn se pencha pour amener son visage grimaçant à la hauteur de la petite fille.

— *Je vais te manger!* gronda-t-elle, l'air menaçant.

La fillette poussa un cri et courut se cacher à l'intérieur de la maison. Son frère fixait Carolyn avec de grands yeux stupéfaits. La mère mit rapidement quelques bonbons dans les sacs des deux amies.

— Tu n'aurais pas dû lui faire aussi peur, dit-elle doucement. Elle va avoir des cauchemars.

Au lieu de s'excuser, Carolyn se tourna brusquement vers le petit garçon.

— *Toi aussi, je vais te manger!*

— Hé, ça suffit! protesta la mère.

Carolyn lâcha d'un rire profond et rauque, sauta du haut des marches et s'éloigna en coupant à travers la pelouse.

— Pourquoi as-tu fait cela? demanda Sabrina en la rattrapant. Pourquoi avoir fait peur à ces petits enfants?

— C'est le masque qui m'y a encore poussée, répondit Carolyn.

Elle avait dit cela en blaguant. Mais cette idée la troublait.

Les maisons suivantes, Carolyn laissa Sabrina prendre les devants. Dans l'une d'entre elles, un homme d'un certain âge, vêtu d'un chandail bleu déchiré, fit mine d'être terrorisé par le masque de Carolyn. Sa femme voulut absolument les faire entrer pour permettre à sa mère très âgée de voir leurs superbes déguisements.

Carolyn n'était pas enthousiasmée par cette idée, mais elle suivit Sabrina à l'intérieur de la maison. La vieille femme, immobilisée dans son fauteuil roulant, les fixa d'un regard inexpressif. Carolyn se mit à grogner, sans réussir à lui faire peur pour autant. Dépitée, elle tourna les talons.

Au moment où elles sortaient, l'homme au chandail bleu leur donna à chacune une pomme verte. Carolyn attendit d'être sur le trottoir, puis se retourna, leva le bras et, de toutes ses forces, lança la pomme contre la porte de la maison.

Le fruit s'y écrasa avec un grand bruit.

— Vraiment, j'ai *horreur* qu'on me donne des pommes pour l'Halloween! déclara-t-elle. Surtout des vertes!

— Carolyn... tu m'inquiètes! s'écria Sabrina en la regardant avec insistance. Je ne te reconnais plus.

« Eh, non. Ce soir, je ne suis plus la même, je ne suis plus cette pitoyable petite chose tremblante de peur qui vous faisait tant rire! » pensa Carolyn.

— Donne-moi ça, dit-elle en saisissant la pomme de Sabrina dans le sac de cette dernière.

— Qu'est-ce que tu fais? Arrête! protesta Sabrina.

Mais Carolyn, déjà, levait le bras. Le fruit, cette fois, atteignit la gouttière en aluminium.

L'homme au chandail bleu apparut sur le seuil de la maison.

— Eh, là! À quoi jouez-vous?

— Filons! cria Carolyn.

Les deux filles détalèrent. Elles ne s'arrêtèrent qu'une fois la maison hors de vue.

Sabrina, à bout de souffle, saisit Carolyn par les épaules.

— Tu es folle! dit-elle, haletante. Tu es complètement folle!

— Il faut un fou pour reconnaître un fou! répondit joyeusement Carolyn.

Elles éclatèrent de rire.

Carolyn scrutait l'obscurité, dans l'espoir de voir Andrew et Steve. Elle aperçut un petit groupe d'enfants costumés au coin de la rue. Mais il n'y avait toujours pas trace des deux garçons.

La rue était bordée de maisons plus petites et plus proches les unes des autres.

— Séparons-nous, proposa Carolyn, appuyée sur son manche à balai. Comme ça, on aura plus de bonbons.

Sabrina fronça les sourcils et regarda son amie d'un air méfiant.

— Carolyn, je sais bien que tu *n'aimes pas* les sucreries! s'exclama-t-elle.

Mais Carolyn était déjà rendue à la maison suivante, sa tête sculptée dansant au-dessus d'elle à l'extrémité du manche à balai. « Ce soir, c'est moi qui m'amuse, pensa-t-elle en acceptant une tablette de chocolat de la femme souriante qui lui ouvrit la porte. Moi! »

Elle était excitée comme jamais. Elle sentait aussi monter en elle un sentiment étrange, qu'elle n'aurait pas su décrire. Un besoin...

Quelques minutes plus tard, elle atteignit le bout de la rue. Elle hésita. Allait-elle traverser pour visiter les maisons d'en face ou changer de rue?

Là où elle se trouvait, il faisait très sombre. La lune, une fois de plus, avait disparu derrière d'épais nuages. Le lampadaire placé au coin de la rue était en panne.

Sur le trottoir d'en face, quatre très jeunes enfants costumés gloussaient en s'approchant d'une maison au perron décoré par une citrouille éclairée de l'intérieur.

Carolyn recula pour se tapir dans une zone d'ombre. Des voix lui parvinrent. C'étaient des garçons. Andrew et Steve?

Non. Ce n'étaient pas des voix familières. Les garçons se disputaient pour savoir vers quelle maison ils iraient ensuite. L'un d'eux voulait rentrer chez lui pour appeler un ami.

« Et si je vous faisais une petite peur, mes mignons? murmura Carolyn, tapie dans l'obscurité. Une bonne petite frousse pour que vous vous rappeliez longtemps cette nuit de l'Halloween? »

Elle attendit, en tendant l'oreille, qu'ils soient à moins d'un mètre d'elle. Elle les voyait, maintenant. Deux momies, aux têtes enveloppées de bandelettes de gaze.

Plus près, plus près.

Soudain, elle jaillit de l'ombre en poussant un cri sauvage.

Les deux garçons firent un bond en arrière.

— Ah!

L'un d'eux voulut crier, mais sa voix s'étrangla dans sa gorge.

L'autre laissa tomber son sac de friandises. Comme il se penchait pour le ramasser, Carolyn s'avança prestement et le lui arracha des mains avant de partir en courant.

— Reviens!

— C'est à *moi!*

— Hé!

Ils criaient avec des voix aiguës, tremblantes de peur et de stupéfaction. En traversant la rue, Carolyn jeta un regard par-dessus son épaule pour voir s'ils la suivaient.

Non. Ils avaient bien trop peur. Ils restaient plantés au coin de la rue, serrés l'un contre l'autre, se contentant de protester.

Sans lâcher le sac de friandises volées, Carolyn renversa la tête en arrière et se mit à rire. D'un rire cruel, triomphant. D'un rire qu'elle entendait pour la première fois.

Elle versa le butin du garçon dans son propre sac, jeta le sac vide par terre, puis poursuivit sa route.

Elle se sentait bien, vraiment bien. Vraiment forte. Et prête à s'amuser encore.

« Venez donc, Andrew et Steve, pensa-t-elle. C'est à VOTRE tour maintenant! »

17

Carolyn trouva Steve et Andrew quelques minutes plus tard.

Ils étaient de l'autre côté de la rue, en train d'examiner le contenu de leurs sacs à friandises à la lumière d'un lampadaire.

Elle se cacha derrière le tronc d'un vieil arbre pour mieux les épier. Son cœur cognait dans sa poitrine. Aucun des deux garçons n'avait pris la peine de se composer un vrai déguisement. Andrew avait un foulard rouge noué autour de la tête et un masque noir lui dissimulait le haut du visage. Steve, qui s'était passé les joues au charbon, portait un vieux chapeau et un imperméable en lambeaux.

« On est censé le prendre pour un clochard? » se demanda Carolyn.

Elle les regarda compter leurs friandises. Apparemment, ils étaient dehors déjà depuis pas mal de temps : leurs sacs avaient l'air bien remplis. Soudain, Steve jeta un coup d'œil dans sa direction.

Carolyn ramena vivement sa tête derrière le tronc d'arbre.

L'avait-il vue? Non.

« Ne sois pas impatiente, se dit-elle. Tu pourrais tout faire rater. Il y a assez longtemps que tu attends ce moment. »

Les deux garçons se dirigeaient maintenant vers l'entrée de la maison la plus proche. Carolyn jaillit de derrière son arbre, faillit tomber en se prenant les pieds dans le manche à balai, et traversa la rue à toutes jambes pour se dissimuler derrière une haie. « Quand ils reviendront, je leur sauterai dessus. Comme une bête fauve. Je leur ferai la plus belle peur de leur vie. »

La haie sentait bon le cyprès. Elle était encore mouillée de la pluie du matin. Le vent faisait trembler les feuilles. D'où venait ce sifflement étrange?

Carolyn mit un certain temps à comprendre que c'était le bruit de sa propre respiration.

Soudain, elle se prit à douter.

« Ça ne va pas marcher, pensa-t-elle en se

faisant toute petite derrière sa haie. Je suis une idiote, la dernière des idiotes. Andrew et Steve ne se laisseront jamais impressionner par ce masque ridicule. Je vais leur sauter dessus, et ils se moqueront de moi. Une fois de plus. Je les entends déjà hurler de rire : « Ah! ah! Carolyn, quelle tête tu as! » Et ensuite, à l'école, ils raconteront que je croyais leur faire peur et qu'ils m'ont tout de suite reconnue, et ils feront rire tout le monde avec cette histoire. Comme toujours! Mais qu'est-ce qui m'a pris de croire que ça pourrait marcher? »

Accroupie dans l'ombre, elle sentait monter sa colère. Envers elle-même. Envers les deux garçons.

Elle avait le visage en feu sous son horrible masque. Son cœur battait follement. Son souffle précipité passait en sifflant à travers le nez aplati du masque qui écrasait le sien.

Andrew et Steve approchaient. Elle entendait leurs pas sur le gravier de l'allée. D'une seconde à l'autre, ils seraient sur le trottoir, passeraient tout près d'elle.

Tous ses muscles tendus, elle se prépara à bondir.

« Eh bien, tant pis! se dit-elle en prenant une profonde inspiration. Allons-y! »

18

Ce fut comme dans un film au ralenti.

Les deux garçons passèrent lentement devant la haie. Ils discutaient avec animation. Mais pour Carolyn, leurs voix semblaient venir de très loin.

Elle se leva d'un bond et surgit de l'ombre en hurlant à pleins poumons.

Malgré le peu de lumière, elle vit clairement leur réaction.

Leurs yeux s'écarquillèrent. Leurs bouches s'ouvrirent. Leurs mains s'élevèrent au-dessus de leurs têtes.

Steve poussa un cri. Andrew agrippa le bras de son ami.

Le cri de Carolyn emplit l'espace, se répercuta contre les façades des maisons, au-dessus des pelouses et des jardins silencieux.

Tout semblait se passer très lentement. Si lentement que Carolyn vit battre les paupières d'Andrew et son menton trembler.

Elle vit un éclair de terreur dans les yeux de Steve quand son regard se détacha du masque pour remonter le long du manche à balai.

Elle le secoua avec des gestes menaçants. Steve laissa échapper un gémissement affolé. Andrew regardait Carolyn, tremblant et bouche bée.

— Carolyn... c'est... c'est toi? parvint-il enfin à articuler.

Pour toute réponse, Carolyn émit un sourd grognement.

— Mais qui es-tu? demanda Steve à son tour, d'une voix chevrotante.

— C'est... c'est Carolyn, je crois! lui répondit Andrew. C'est bien toi, là-dessous, Carolyn?

Steve émit un rire nerveux.

— Tu... nous as fait peur!

— Carolyn... c'est vraiment toi? insista Andrew.

Carolyn agita le manche à balai, puis montra la tête du doigt.

— La voilà, Carolyn, annonça-t-elle.

Sa voix était rauque et profonde.

— Ah?

Les deux garçons regardaient la tête sculptée,

inquiets et ne sachant que penser.

— Eh oui, c'est Carolyn! C'était Carolyn, répéta-t-elle lentement, en agitant la tête dans leur direction.

Le regard fixe des yeux peints semblait dardé sur eux.

— Cette pauvre Carolyn! Elle ne voulait pas me prêter sa tête, ce soir. Mais je l'ai prise tout de même!

Les deux garçons étaient pétrifiés sur place. Andrew n'avait pas lâché le bras de Steve.

Steve se remit à rire. Il regardait fixement Carolyn.

— C'est toi, Carolyn, n'est-ce pas? dit-il. Comment fais-tu pour prendre cette voix bizarre?

— Regarde bien, Steve, gronda Carolyn. C'est ton amie, là-haut, ton amie Carolyn. Ce qu'il reste d'elle!

Andrew fit un effort pour avaler sa salive. Son regard restait rivé à la tête qui se balançait au-dessus de lui. Steve semblait hypnotisé par le masque de Carolyn.

— Votre butin! ordonna Carolyn, surprise elle-même par la méchanceté de sa voix.

— Pa... pardon? fit Steve.

— Vos sacs! Tout de suite! Ou bien c'est votre

tête que je vais mettre là-haut!

Les deux garçons se mirent à rire, mais leurs rires sonnaient faux.

— Je ne plaisante pas! rugit Carolyn.

Les rires cessèrent net.

— Carolyn, arrête... murmura Andrew, hésitant, tremblant de peur.

— Oui. Laisse-nous, dit Steve d'une voix à peine audible.

— Dernier avertissement! Passez-moi les sacs si vous tenez à garder vos têtes sur vos épaules, répéta froidement Carolyn en les menaçant de son manche à balai.

À cet instant, tous trois regardaient la tête sculptée aux traits figés qui paraissait si réelle et qui ressemblait tellement à Carolyn Caldwell.

Un coup de vent soudain fit bouger la tête et ils virent alors, tous les trois, ses yeux battre des paupières.

Une fois. Deux fois.

Les yeux noirs battaient des paupières.

Puis les lèvres s'entrouvrirent pour émettre un son rauque, une sorte de râle.

Paralysée de terreur, Carolyn regardait, comme les deux garçons, le visage qui venait de s'animer.

Et tous trois virent les lèvres bouger lentement,

difficilement, comme pour former des mots.

La bouche s'ouvrait, se refermait. La tête continuait à osciller sur son support. Ils comprirent tous en même temps les mots qui se formaient silencieusement : « *Aidez-moi. Aidez-moi.* »

Prise de terreur, Carolyn lâcha le manche à balai. Il tomba à côté d'Andrew, et la tête roula sous la haie.

— La... la tête... elle *a parlé!* cria Steve.

Andrew laissa échapper un long gémissement. Sans un mot de plus, les deux garçons jetèrent leurs sacs de bonbons et s'enfuirent à toutes jambes. On entendait leurs semelles claquer sur le trottoir.

Le vent soufflait autour de Carolyn comme pour l'empêcher d'avancer.

Elle avait envie de renverser la tête en arrière et de hurler à la lune.

Envie d'arracher son manteau et de s'envoler dans la nuit.

Envie de grimper à un arbre, de sauter sur un toit, de rugir sous le ciel sans étoiles.

Elle resta un long moment immobile, figée sur

place, laissant le vent la fouetter. Les deux garçons avaient disparu. Ils s'étaient enfuis, terrorisés.

Terrorisés!

Carolyn avait réussi. Ils étaient quasiment morts de peur.

Elle savait qu'elle n'oublierait jamais l'expression épouvantée qui s'était peinte sur leurs visages, la frayeur et l'incrédulité qu'elle avait vues dans leurs yeux.

Et qu'elle n'oublierait jamais non plus le sentiment de triomphe qui l'avait envahie. Le goût exquis de la vengeance...

Un court instant, elle avait eu peur. Elle avait cru que la tête plantée sur le manche à balai était devenue vivante, avait cligné des yeux, et que ses lèvres s'étaient mises à former des mots en silence.

Un bref instant, elle avait partagé leur frayeur. Elle s'était laissée prendre à son propre subterfuge. Mais, bien sûr, cette tête n'était pas vivante. Les lèvres, bien sûr, n'avaient pas remué, n'avaient pas articulé cet appel silencieux : « *Aidez-moi. Aidez-moi.* »

C'était à cause des ombres. Les ombres des nuages qui couraient devant la lune, chassés par les rafales dans ce ciel noir encore chargé d'humidité.

Où était passée la tête?

Et le manche à balai qu'elle avait laissé tomber? Peu lui importait, désormais. Elle n'en avait plus besoin.

Elle avait gagné.

Elle courut à travers les pelouses, sautant par-dessus les buissons et les haies, volant au-dessus du sol obscur.

Elle courut droit devant elle, à l'aveuglette, tandis que les maisons défilaient à toute vitesse. Le vent tourbillonnait et elle tourbillonnait avec lui, filant au-dessus des trottoirs, bondissant dans les hautes herbes telle une feuille emportée par le vent.

Sans lâcher son sac de friandises bien rempli, elle passa comme une flèche devant des groupes d'enfants costumés, des citrouilles illuminées et des squelettes bringuebalants pendus aux entrées des maisons.

Quand elle fut à bout de souffle, elle s'arrêta et ferma les yeux, attendant que son cœur cesse de cogner contre sa poitrine, que son sang cesse de battre à ses tempes.

Soudain, une main s'abattit sur son épaule.

20

Carolyn, surprise, fit volte-face en poussant un grand cri.

— Sabrina!

Sabrina sourit et lui lâcha l'épaule.

— Ça fait des heures que je te cherche, dit-elle. Où étais-tu passée?

— Je... je crois que je m'étais perdue, répondit Carolyn, encore essoufflée.

— Tu as disparu comme par enchantement! s'exclama Sabrina avec un air de reproche, en rajustant son masque sur sa chevelure sombre.

— Toi, ça va? demanda Carolyn en s'efforçant de prendre sa voix habituelle.

— Non! J'ai déchiré mon costume, gémit son amie.

Elle tira sur l'étoffe pour montrer à Carolyn l'accroc qu'elle avait à la jambe.

— Je me suis accrochée sur une stupide boîte

aux lettres!

— C'est dommage, commenta Carolyn d'un ton compatissant.

— Tu as fait peur à beaucoup de gens, avec ce masque? s'enquit Sabrina tout en s'efforçant de dissimuler au mieux la déchirure de son costume.

— Oui. À quelques enfants.

— Il est vraiment abominable, dit Sabrina.

— C'est pour ça que je l'ai choisi.

Elles rirent toutes deux.

— Et tu as récolté beaucoup de bonbons? demanda Sabrina.

Elle prit le sac de Carolyn pour regarder à l'intérieur.

— Bravo!

— J'ai fait pas mal de maisons, expliqua Carolyn.

— Rentrons chez moi, on comptera notre butin, proposa Sabrina.

— D'accord.

Carolyn suivit son amie. Elles traversèrent la rue.

— À moins que tu n'aies encore quelqu'un à visiter? dit Sabrina en s'arrêtant au milieu de la rue.

— Non. J'en ai assez, répondit Carolyn.

Elle se mit à rire au fond d'elle-même. « Ce soir, j'ai accompli tout ce que je voulais faire. »

Elles se remirent à marcher. Elles avançaient dans le vent, mais Carolyn n'avait pas froid du tout.

Deux filles passèrent en courant, vêtues de robes à fanfreluches, outrageusement maquillées et coiffées de perruques blondes. L'une d'elles ralentit en apercevant le masque de Carolyn. Puis elle poussa un cri étouffé et se hâta de rattraper son amie.

— Tu as vu Andrew et Steve? demanda Sabrina. Je les ai cherchés partout. J'ai passé la soirée à chercher des gens, d'ailleurs. Toi. Andrew et Steve. Vous ne vous êtes pas rencontrés?

Carolyn haussa les épaules.

— Je les ai vus, dit-elle. Il y a un petit moment. Là-bas, ajouta-t-elle en montrant la direction d'un mouvement de tête. Quelle paire de poules mouillées!

— Comment? Steve et Andrew?

La surprise se lisait sur le visage de Sabrina.

— Oui. Dès qu'ils ont vu mon masque, ils sont partis en courant! expliqua Carolyn avec un petit rire. Et ils criaient!

Sabrina se mit à rire à son tour.

— Je ne peux pas le croire! s'exclama-t-elle. Eux qui aiment tant jouer les durs...

— Je les ai appelés, mais ils ont continué à courir, poursuivit Carolyn avec un sourire moqueur.

— C'est incroyable!

— Incroyable, mais vrai!

— Ils t'ont reconnue?

Carolyn haussa les épaules.

— Je n'en sais rien. Ils m'ont regardée et ils ont filé comme des lapins.

— Ils m'avaient prévenue qu'ils avaient l'intention de *te faire peur*, révéla Sabrina. Ils voulaient arriver tout doucement derrière toi et pousser des cris sauvages...

Carolyn sourit de plus belle :

— Pas facile d'arriver sans bruit et par derrière quand on court parce qu'on vient d'avoir la plus belle peur de sa vie.

Elles étaient devant la maison de Sabrina.

— J'ai pas mal de bonnes choses, là-dedans, dit celle-ci en scrutant l'intérieur de son sac. Il a fallu que j'en ramasse beaucoup, car je dois partager avec ma cousine. Elle est grippée et n'a pas pu sortir ce soir.

— Moi, je ne partagerai pas, dit Carolyn. Noah est sorti avec ses copains. Il va sûrement en rapporter pour une année entière.

— Mme Dion m'a encore donné des biscuits et du maïs soufflé, cette année, se plaignit Sabrina en soupirant. Je vais être obligée de tout jeter. Maman ne veut pas que je mange ce qui n'est pas dans un emballage. Elle a peur qu'un fou y ait mis du poison. L'année passée, j'ai dû me débarrasser de plein de bonnes choses.

Sabrina frappa à la porte. Sa mère vint ouvrir et elles entrèrent.

— En voilà un masque! s'exclama la mère de Sabrina en regardant Carolyn. Ça s'est bien passé, les filles?

— Très bien, maman, répondit Sabrina.

— N'oublie pas que tu dois…

— Je sais, maman, l'interrompit Sabrina en poussant son amie vers le salon. Je dois jeter tout ce qui n'est pas emballé. Même les fruits.

Une fois seules, les deux filles s'empressèrent de vider leurs sacs sur le tapis.

— Eh, regarde! s'écria Sabrina. Une grosse tablette de chocolat! C'est la sorte que je préfère!

— Je *déteste* ça, dit Carolyn en brandissant une gigantesque sucette bleue. La dernière fois qu'on m'en a offert une, je me suis coupé la langue!

Elle jeta la sucette sur le tas de Sabrina.

— Merci, merci mille fois, lança Sabrina d'un ton sarcastique.

Elle retira son masque et le posa par terre. Ses joues étaient écarlates. Elle secoua ses cheveux bruns.

— Ouf! On se sent mieux! J'avais chaud dans ce masque. Et toi, Carolyn, tu ne veux pas retirer ton masque? ajouta-t-elle en regardant son amie. Tu dois *bouillir*, là-dedans!

— Ouais, bonne idée.

Carolyn, en vérité, avait oublié qu'elle en portait un. Elle le saisit à deux mains par les oreilles.

— Aïe!

Le masque ne bougea pas d'un millimètre. Elle tira alors sur le dessus de la tête. Puis elle essaya de le décoller en tirant sur les joues.

— Ouille!

— Qu'est-ce qu'il y a? demanda Sabrina, toujours penchée sur son tas de friandises.

Carolyn ne répondit pas. Elle essayait, cette fois, de retirer le masque en le roulant sur son cou. Puis elle tira de nouveau sur les oreilles.

— Carolyn, qu'est-ce qui ne va pas? demanda
Sabrina en levant enfin les yeux.

— Aide-moi! supplia Carolyn d'une voix
étranglée par la peur. S'il te plaît, aide-moi!
Le masque... je n'arrive plus à l'enlever!

21

À genoux sur le tapis, Sabrina délaissa son tas de friandises.

— Carolyn, arrête de faire le bouffon.

— Mais je ne fais pas le bouffon! se lamenta Carolyn, qui sentait la panique l'envahir.

— Tu n'as pas assez effrayé de gens pour ce soir?

— Idiote! Je n'essaie pas de te faire peur. Je te dis que je n'y arrive pas! s'écria Carolyn, au bord des larmes.

Elle tirait désespérément sur les oreilles du masque. En vain.

Sabrina se leva et s'approcha de son amie.

— Tu ne peux vraiment pas l'enlever?

Carolyn, maintenant, tirait sur le menton. Elle laissa échapper un cri de douleur.

— Ça... ça colle à ma peau! Aide-moi!

Sabrina éclata de rire.

— On aura l'air intelligentes si on est obligées d'appeler les pompiers pour te l'enlever!

Carolyn n'apprécia pas la plaisanterie. Elle agrippa le masque à deux mains par le haut et le tira de toutes ses forces. Sans aucun résultat.

Le sourire de Sabrina disparut.

— C'est vrai que tu ne plaisantes pas! Tu es vraiment coincée là-dedans.

Carolyn hocha la tête.

— Eh bien, aide-moi à le retirer, insista-t-elle avec impatience.

Sabrina saisit à son tour le haut du masque.

— Comme c'est chaud! s'écria-t-elle. Tu dois étouffer là-dessous!

— Tire! Tire donc! gémit Carolyn.

Sabrina tira.

— Aïe! Pas si fort! Tu me fais mal!

Sabrina tira plus doucement. Le masque ne bougea pas. Elle le saisit par les joues.

— Aïe! Aïe! Aïe! hurla Carolyn. C'est collé à ma figure!

— C'est fait en quoi, ce masque? demanda Sabrina en l'examinant. Ça n'a pas l'air d'être du caoutchouc. On dirait de la peau.

— Je ne sais pas en quoi c'est fait et je m'en fiche, grommela Carolyn. Je veux l'enlever. Je crois qu'on ferait mieux de le couper. Avec des ciseaux, par exemple.

— Tu n'as pas peur de l'abîmer?

— Ça m'est égal! cria Carolyn en tirant rageusement sur les oreilles du masque. Ça m'est complètement égal! Je veux l'enlever, c'est tout! Je vais craquer si on n'y arrive pas!

Sabrina mit gentiment sa main sur l'épaule de son amie.

— D'accord, d'accord. Essayons une dernière fois. Et si ça ne marche pas, on le coupera.

Elle se pencha pour examiner le masque de plus près.

— Je dois pouvoir l'enlever si j'arrive à passer mes mains par-dessous, dit-elle en réfléchissant à haute voix.

— Eh bien, vas-y alors! Dépêche-toi! supplia Carolyn.

Mais Sabrina ne bougeait plus. Son regard exprimait une stupéfaction muette.

— Sabrina? Qu'est-ce que tu as?

Sabrina ne répondit pas. Elle se contenta de passer ses doigts sur le cou de Carolyn.

Son expression s'était figée. La surprise, la crainte, la perplexité se lisaient dans ses yeux. Elle se mit derrière Carolyn, lui toucha la nuque en différents endroits.

— Qu'est-ce qu'il y a? Qu'est-ce qui se passe? demanda Carolyn d'une voix étranglée.

Sabrina passa une main dans ses cheveux bruns. Elle plissa le front.

— Carolyn, dit-elle enfin, il y a quelque chose de très bizarre.

— Quoi? Qu'est-ce que tu *racontes?*

— Je ne trouve pas le bas du masque.

— Quoi? Qu'est-ce que tu dis?

Carolyn porta vivement les mains à son cou, qu'elle se mit à tâter avec frénésie.

— Il n'y a rien, pas de différence entre le masque et la peau. Je ne trouve nulle part où glisser la main.

— Mais c'est fou! cria Carolyn.

Elle mit ses mains sur sa gorge, cherchant le bas du masque.

— C'est fou! répéta-t-elle. C'est complètement fou!

Sabrina enfouit son visage dans ses mains, cachant sa pâleur et son expression horrifiée.

— C'est fou! C'est complètement fou! répétait Carolyn, de plus en plus épouvantée.

Mais après avoir longuement exploré son cou et sa nuque de ses doigts tremblants, elle fut bien obligée de se rendre à l'évidence. Son amie avait raison.

On ne pouvait pas savoir où commençait le masque, et on ne pouvait nulle part glisser ses doigts dessous, car il n'y avait pas de différence entre le masque et la peau de Carolyn.

Le masque était devenu son vrai visage.

22

Ses jambes flageolantes menaçant à chaque seconde de se dérober sous elle, Carolyn se dirigea vers le grand miroir de l'entrée. Tout en marchant, elle continuait à tâter son cou de ses doigts tremblants. Enfin, elle aperçut son reflet.

— On ne voit rien! s'écria-t-elle. On ne voit pas où le masque commence!

Sabrina s'approcha d'elle, pâle d'inquiétude.

— C'est incroyable!

Carolyn poussa un long gémissement.

— Mais... ce ne sont pas mes yeux! Mes yeux ne sont pas comme ça.

— Calme-toi, dit doucement Sabrina. Tes yeux...

— Ce ne sont pas mes yeux! Pas du tout! cria Carolyn de plus belle, comme si elle n'avait rien entendu. Où sont mes yeux? Où suis-je? Sabrina! Ce n'est pas *moi*, ça!

— Carolyn, je t'en prie, calme-toi! répéta
Sabrina.

Mais sa voix étranglée en disait long sur sa
propre frayeur.

— Ce n'est pas moi! répéta Carolyn, horrifiée,
en pressant à deux mains les joues affreusement
ridées de son masque. Ce n'est pas moi!

Sabrina tendit la main vers elle. Mais Carolyn
l'évita. Avec un cri d'horreur et de désespoir, elle
fonça à travers le hall d'entrée et se jeta contre
la porte. Sabrina la vit, secouée de sanglots,
agripper le verrou, qu'elle mit quelques secondes
à ouvrir.

— Carolyn! Arrête! Reviens!

Indifférente aux appels de son amie, Carolyn
s'enfonçait déjà dans la nuit. La porte claqua
lourdement derrière elle.

Tandis qu'elle s'éloignait en courant, elle
entendit Sabrina l'appeler du seuil de la maison.

— Carolyn! Ton manteau! Reviens! Tu as
oublié ton manteau!

Les semelles de Carolyn claquaient sur le sol
dur. Elle courait dans l'ombre épaisse, sous le
couvert des arbres, comme si elle voulait se
cacher, ne pas montrer ce visage hideux qui
masquait le sien.

Elle atteignit le trottoir, tourna à droite, et continua à courir.

Elle ne savait pas où elle allait. Mais elle savait qu'elle devait s'éloigner de Sabrina et du miroir.

Elle voulait se sauver d'elle-même, ne plus voir son visage, ce visage hideux qui l'avait regardée dans le miroir avec des yeux inconnus et effrayants.

Les yeux de quelqu'un d'autre. Sur son propre visage!

Mais ce n'était plus son visage! Ce n'était plus sa tête! C'était la tête d'un monstre vert horrible qui s'était superposée, collée, accrochée à la sienne!

Poussant un autre cri de panique, Carolyn traversa la rue et poursuivit sa course. Les silhouettes fantomatiques des arbres se découpaient en noir sur le ciel, et les branches frissonnaient au-dessus d'elle. Les maisons défilaient, la lueur orangée d'une citrouille illuminant leurs fenêtres.

Elle courait dans l'obscurité et respirait à grand bruit à travers le nez aplati du masque. Elle courait en baissant la tête, cette tête grimaçante qui n'était pas la sienne, et gardait les yeux obstinément fixés sur le sol.

Mais où qu'elle regarde, c'était toujours ce masque qu'elle voyait. L'affreuse peau plissée et boutonneuse, les yeux rougeoyants, les crocs pointus comme ceux d'un fauve...

« Mon visage... mon visage... »

Des cris perçants la tirèrent de ses pensées. Carolyn regarda devant elle et vit un groupe d'enfants déguisés. Ils étaient six ou sept qui la regardaient et la montraient du doigt.

Elle les regarda à son tour en poussant un grognement de bête sauvage.

Ils se turent instantanément. On voyait à leur regard qu'ils se demandaient si elle plaisantait ou s'ils devaient prendre sa menace au sérieux.

— Qu'est-ce que *tu* es censée être? demanda une fillette vêtue d'un costume de clown.

« Je suis censée être MOI, mais je ne le suis pas », songea amèrement Carolyn.

Elle ne répondit pas. Baissant la tête, elle tourna les talons et s'éloigna en courant.

Elle les entendit rire derrière elle.

« Ils rient parce qu'ils sont soulagés, se dit-elle, soulagés que je les aie laissés. »

Avec un nouveau sanglot, elle tourna le coin et continua à courir.

« Où vais-je ainsi? Qu'est-ce que je fais? Suis-je condamnée à courir sans jamais m'arrêter? »

Elle s'immobilisa en apercevant, un peu plus loin, le magasin de farces et attrapes.

« Mais bien sûr! Ce type bizarre avec sa grande cape noire... Il m'aidera, lui. Il saura ce qu'il faut faire. Il saura comment retirer ce masque! »

Le cœur soudain gonflé d'espoir, Carolyn se hâta vers le magasin.

Mais comme elle s'approchait, l'espoir s'évanouit. Le magasin était plongé dans l'obscurité. Il était fermé.

23

Tandis qu'elle scrutait l'intérieur du magasin à travers la vitrine, Carolyn se sentit submergée par une vague de désespoir.

Les deux mains contre la glace, elle y appuya sa tête. Elle sentit aussitôt la fraîcheur sur son front brûlant. Le front brûlant du masque.

Elle ferma les yeux.

« Que faire, maintenant? Que vais-je devenir? »

— Tout cela n'est qu'un mauvais rêve, dit-elle à haute voix. Un cauchemar, et rien de plus. Je vais maintenant ouvrir les yeux et me réveiller.

Elle ouvrit les yeux. Et elle vit, reflétés dans la vitrine, ses yeux rougeoyants.

Elle vit son visage monstrueux, et ce visage la regardait.

— Non!

Frissonnant de tout son corps, Carolyn serra les poings et se mit à marteler la vitrine du magasin. « Pourquoi avoir refusé le costume de canard préparé par ma mère? Pourquoi avoir voulu à tout prix être la créature la plus effrayante qu'on ait jamais vue se promener un soir d'Halloween? Pourquoi cette folle envie de faire peur à Andrew et à Steve? »

Elle avala péniblement sa salive.

« Maintenant, je vais faire peur aux gens pour le restant de mes jours. »

Carolyn était plongée dans ses sinistres pensées quand elle crut voir quelque chose bouger dans le magasin. Une ombre courut sur le sol. Il y eut un bruit de pas. La porte grinça, puis s'entrouvrit.

La tête de l'homme apparut. Il regarda Carolyn.

— Je suis resté au magasin, dit-il d'une voix tranquille. Je m'attendais à te revoir.

Carolyn était stupéfaite devant un tel calme.

— Je... je n'arrive plus à l'enlever! lança-t-elle.

Elle tira à deux mains sur le masque pour faire la démonstration.

— Je sais, répondit l'homme, impassible. Entre.

Il ouvrit la porte toute grande et recula d'un pas pour la laisser passer.

Carolyn eut une courte hésitation, puis elle entra dans le magasin obscur. Il y faisait très chaud.

L'homme alluma une seule lampe, au-dessus du comptoir. Il ne portait plus sa grande cape noire. Il était vêtu d'un pantalon noir et d'une chemise blanche.

— Alors, vous *saviez* que j'allais revenir? demanda Carolyn.

La voix rauque qui était devenue la sienne exprimait à la fois de la colère et de l'angoisse.

— Comment le saviez-vous?

— Je ne voulais pas te vendre ce masque, répondit l'homme.

Il secoua la tête en fronçant les sourcils.

— Tu t'en souviens, n'est-ce pas? Tu te souviens que je ne voulais pas du tout te le vendre?

— Oui, je m'en souviens, dit Carolyn, agacée. Maintenant, enlevez-le-moi. Vous voulez bien? Allez-y!

Il la regarda sans répondre, et sans faire un geste.

— Aidez-moi à le retirer! reprit Carolyn en criant cette fois. Je vous supplie de m'aider!

L'homme poussa un soupir.

— Je ne peux pas, dit-il. Je suis vraiment désolé.

24

— Co... comment? bégaya Carolyn.

L'homme ne répondit pas. Il se tourna vers le fond du magasin et lui fit signe de le suivre.

— Répondez-moi! Ne partez pas! Répondez-moi! *Pourquoi* dites-vous qu'on ne peut pas retirer ce masque?

Le cœur battant, elle le suivit dans l'arrière-boutique. Il alluma la lumière.

Carolyn cligna des yeux et aperçut les deux étagères chargées de masques. Il y avait un vide à l'emplacement du sien.

Les masques, tous monstrueux, semblaient la regarder. Elle se força à détourner les yeux.

— Retirez-moi ce masque! Tout de suite! ordonna-t-elle en se plaçant devant l'homme pour lui barrer le chemin.

— Je ne peux pas, répéta-t-il doucement, presque tristement.

— Mais pourquoi?

Il baissa encore la voix.

— Parce que ce n'est pas un masque.

Carolyn le regarda, voulut parler, mais aucun son ne sortit de sa bouche.

— Ce n'est pas un masque, dit encore l'homme. C'est un vrai visage.

Carolyn, soudain, sentit que la tête lui tournait. Le sol se mit à danser. Les masques, sur les étagères, la fixaient de leurs yeux jaunes ou verts, exorbités, injectés de sang. Tous ces regards mauvais convergeaient sur elle.

Elle s'adossa au mur et essaya de se calmer. L'homme, s'approchant des étagères, fit un geste pour désigner toutes ces têtes grimaçantes.

— Les Mal-Aimés, murmura-t-il, d'un ton plein de tristesse.

— Je ne comprends pas, parvint à articuler Carolyn.

— Ce ne sont pas des masques. Ce sont des visages, expliqua-t-il. De vrais visages. C'est moi qui les ai créés dans mon laboratoire. De vrais visages.

— Mais... ils sont tellement laids, dit Carolyn. Pourquoi...?

— Ils n'étaient pas laids à l'origine, dit

l'homme en l'interrompant d'un ton sec, un éclair de colère dans les yeux. Ils étaient tous beaux. Et vivants. Mais quelque chose s'est détraqué. Quand on les a sortis du laboratoire, ils ont changé. Mes expériences ont échoué. Mais il fallait que je les garde en vie. Il le *fallait*.

— Je... je ne vous crois pas! s'écria Carolyn, le souffle coupé, en pressant à deux mains les tempes de son visage verdâtre et déformé. Je ne crois pas un mot de toute cette histoire!

— C'est pourtant la vérité, continua l'homme en passant un doigt sur ses fines moustaches et en posant sur Carolyn ce regard qui lui donnait l'impression de la brûler. Je les garde ici. Je les appelle les Mal-Aimés parce que personne ne voudra jamais d'eux. Il arrive que des clients s'aventurent dans cette arrière-boutique, toi, par exemple, et que l'un de mes masques trouve quelqu'un qui l'adopte définitivement.

— *NOOON!*

Le cri de Carolyn était celui d'un animal plus que celui d'un être humain.

Elle regarda les faces grimaçantes alignées sur les étagères. Les crânes proéminents, les plaies béantes, les crocs acérés, les yeux révulsés... Des monstres! Tous des monstres!

— Enlevez-moi ça! cria-t-elle, perdant toute retenue, en se débattant avec l'énergie du désespoir pour arracher elle-même le masque, le déchirer en mille morceaux. Enlevez-le-moi! Enlevez-le-moi!

— Je regrette, mais ce visage est le tien, désormais, dit-il d'une voix impassible.

— Non! cria encore Carolyn de sa voix rauque. C'est impossible! Enlevez-le! Enlevez-moi ce masque IMMÉDIATEMENT!

Elle tirait de toutes ses forces sur la chair du visage. Mais du fond de sa panique et de sa fureur, elle sentait que ses efforts étaient voués à l'échec.

— On peut retirer ce visage, dit l'homme sans changer de ton.

— Comment?

Carolyn cessa de se débattre pour le regarder.

— Qu'avez-vous dit?

— J'ai dit qu'il y avait un moyen de retirer ce visage.

— Lequel?

Carolyn sentit une bouffée d'espoir la soulever.

— Comment? Dites-le-moi! Je vous en prie, dites-le-moi!

— Je ne peux pas le faire pour toi, reprit

l'homme en fronçant les sourcils. Mais je peux te l'expliquer. Toutefois, il faut savoir que s'il se fixe encore une fois sur toi ou sur quelqu'un d'autre, ce sera pour toujours.

— Mais comment dois-je faire pour m'en débarrasser? *Dites-le-moi!* implora Carolyn. Comment?

25

La lumière vacilla. Les visages difformes gardaient les yeux braqués sur elle.

« Des monstres, songea-t-elle. Une pièce pleine de monstres qui attendent de revenir à la vie. Et désormais, je suis un monstre, moi aussi. »

Le propriétaire du magasin s'approcha de Carolyn.

— Comment dois-je faire pour le retirer? demanda-t-elle. Dites-le-moi. Montrez-le-moi. Vite!

— On ne peut le retirer qu'une fois, expliqua l'homme d'une voix douce. Et il faut, pour cela, un symbole d'amour.

Elle le regardait, attendant la suite.

Mais le silence régnait maintenant dans la pièce. Un lourd silence.

— Je... je ne comprends pas, reprit Carolyn. Il *faut* m'aider. Dites-moi quelque chose de sensé!

Aidez-moi!

— Je ne peux pas en dire plus, répondit l'homme en baissant la tête.

Il avait fermé les yeux pour se masser les paupières, et semblait soudain très las.

— Mais... que voulez-vous dire par « symbole d'amour »? demanda Carolyn.

Comme il continuait à se taire, elle fit un pas vers lui et saisit à deux mains le devant de sa chemise.

— Que voulez-vous dire? *Que voulez-vous dire?*

Il ne fit pas un geste pour se dégager.

— Je ne peux rien dire de plus, répéta-t-il dans un murmure.

— Non! cria-t-elle. Non! Vous *devez* m'aider! Il le *faut!*

Elle sentait la fureur monter, elle sentait qu'elle perdait tout contrôle d'elle-même, mais elle n'y pouvait rien.

— Je veux qu'on me rende mon visage! hurla-t-elle en martelant de ses poings la poitrine de l'homme. Je veux qu'on me rende mon visage! Je veux redevenir *moi-même!*

L'homme recula en faisant des gestes des deux mains pour lui dire de se calmer. Puis, tout à coup, ses yeux s'agrandirent et une expression terrorisée se peignit sur ses traits.

Carolyn suivit son regard vers les étagères.

Elle laissa échapper un cri d'horreur en voyant que tous les visages s'étaient mis à bouger.

Les yeux exorbités clignaient. Les langues tuméfiées léchaient les lèvres sèches. Les plaies béantes luisaient d'un éclat malsain.

Les têtes frissonnaient, tremblaient, clignaient des yeux, *respiraient*.

— Que... que se passe-t-il? chuchota Carolyn d'une voix tremblante.

— Tu les as tous réveillés! gémit l'homme, qui paraissait maintenant aussi effrayé qu'elle.

— Mais... mais...

— Va-t-en! cria-t-il en la poussant violemment vers la sortie. Vite!

26

Carolyn hésita, se retourna pour regarder les têtes qui s'agitaient sur les étagères.

Des lèvres épaisses claquaient avec des bruits de ventouses. Des crocs acérés s'entrechoquaient. Des nez hideux, qui n'avaient rien d'humain, se tordaient pour respirer à grand bruit.

Les têtes, toutes les têtes alignées sur les étagères, étaient devenues vivantes et semblaient lutter désespérément pour le rester.

Et les yeux – les yeux globuleux injectés de sang, les yeux jaunes ou verdâtres, les yeux écarlates, les yeux répugnants dont les globes pendaient au bout d'un fil : *tous ces yeux étaient braqués sur elle!*

— Va-t'en! Tu les as réveillés! cria l'homme d'une voix déformée par l'épouvante. Va-t'en! *Sauve-toi* d'ici!

Carolyn aurait voulu courir. Mais ses genoux

tremblaient et ses jambes ne répondaient plus. Elle avait l'impression, soudain, de peser une tonne.

— Pars! *Pars!* répétait l'homme, pris d'une véritable panique.

Mais Carolyn ne parvenait pas à détacher son regard des étagères où les têtes s'agitaient dans d'horribles convulsions.

Elle les regardait, muette, pétrifiée, sentant ses jambes mollir, sa gorge se nouer. Et soudain, tandis qu'elle les regardait, les têtes se soulevèrent et se mirent à flotter dans l'air.

— Cours! Vite! Cours!

La voix de l'homme semblait venir de très loin. Les têtes émettaient maintenant des bruits étranges, des râles, des chuchotements excités, des claquements de langue et des gargouillements dont la rumeur, en s'amplifiant, recouvrait les cris affolés de l'homme.

Et elles flottaient de plus en plus haut, sous le regard horrifié de Carolyn.

— Sauve-toi! Dehors!

Elle se détourna et força ses jambes à avancer.

Puis, rassemblant toute son énergie, elle se mit à courir. Elle traversa en un éclair le magasin plongé dans une semi-pénombre. Sa main trouva la poignée de la porte. Elle ouvrit.

Et elle courut, martelant le trottoir, dans l'obscurité. Une bouffée d'air froid fouetta son visage brûlant.

Son visage verdâtre.

Son visage de monstre.

Le visage de monstre qu'elle ne pouvait pas enlever.

Elle traversa la rue, toujours au pas de course. Quel était ce bruit? Ce profond murmure, cette rumeur qui semblait la suivre?

La suivre?

— Oh, non! cria Carolyn en jetant un coup d'œil derrière elle et en apercevant les têtes hideuses qui s'étaient lancées à sa poursuite.

Un défilé macabre!

Les masques flottaient les uns derrière les autres, formant une longue chaîne de têtes tressautantes et jacassantes. Leurs yeux brillaient dans la nuit comme des phares. Tous étaient braqués sur Carolyn.

Étouffée par la peur, elle trébucha contre la bordure du trottoir.

Elle tendit les bras et reprit de justesse son équilibre. Ses jambes faiblissaient de seconde en seconde. Au prix d'un effort démesuré, elle se remit à courir.

Courbée en avant pour lutter contre le vent, elle passa en trombe devant des terrains vagues et des maisons aux façades obscures.

« Il doit être tard, se dit-elle. Très tard. *Trop tard* » Les mots se bousculaient dans sa tête.

« Trop tard pour moi ».

Les têtes hideuses la suivaient. Elles se rapprochaient peu à peu. Le murmure de leur conversation bestiale s'élevait. Bientôt, il se transforma en un vacarme assourdissant qui semblait l'envelopper.

Le vent hurlait lui aussi, il soufflait de plus en plus fort, comme pour l'empêcher d'avancer.

Les têtes gagnaient du terrain.

« C'est un cauchemar, se dit-elle. Un horrible cauchemar. Je suis condamnée à courir jusqu'à la fin des temps. Trop tard. Trop tard pour moi. Est-ce vraiment trop tard? » Une idée se formait dans son esprit, luttant contre la panique. Il fallait trouver une solution, un moyen de s'échapper.

Un symbole d'amour.

Elle entendit la voix de l'homme du magasin par-dessus le vacarme des voix.

Un symbole d'amour.

Voilà ce qu'il lui fallait pour se débarrasser de cette tête monstrueuse qui était devenue la sienne.

Cela arrêterait-il également les têtes qui la poursuivaient? Serait-ce suffisant pour renvoyer d'où ils venaient les visages des Mal-Aimés?

Hors d'haleine, Carolyn tourna à l'angle d'une rue et continua à courir. Et quand elle jeta de nouveau un coup d'œil par-dessus son épaule, elle vit que les têtes qui la suivaient avaient tourné elles aussi.

« Où suis-je? » se demanda-t-elle en regardant les maisons.

Dans sa frayeur, elle ne s'était pas inquiétée de savoir où elle allait.

Mais maintenant, Carolyn avait une idée.

Et il lui fallait atteindre son but avant que la monstrueuse procession de têtes ne l'ait rattrapée.

Elle l'*avait*, son symbole d'amour.

C'était sa tête. La tête en plâtre sculptée par sa mère. Elle se rappelait du moment où elle avait demandé à sa mère pourquoi elle avait fait cette sculpture. Celle-ci avait répondu : « parce que je t'aime ». Peut-être cela pourrait-il la sauver? La tirer de son cauchemar?

Mais où était cette tête?

Elle l'avait jetée par terre. La tête avait roulé sous une haie. Dans un jardin...

Elle n'en était pas loin.

Elle reconnut la rue. Les maisons.

C'était là qu'elle avait rencontré Andrew et Steve. Là qu'elle leur avait fait peur au point de les mettre en fuite.

Mais de quelle maison s'agissait-il? Et de quelle haie?

Carolyn regarda les jardins, scrutant l'obscurité. Derrière elle, à quelque distance, les masques s'étaient rassemblés. Comme un essaim d'abeilles, ils se serraient les uns contre les autres, tremblants et grimaçants, comme s'ils se préparaient à foncer sur elle tous ensemble.

« Il faut que je trouve cette tête! » se dit Carolyn. Elle respirait à grand-peine, et ses jambes étaient maintenant si douloureuses que chaque pas supplémentaire était une torture.

« Il faut absolument que je retrouve ma tête. »

Le bruit grandit derrière elle. L'essaim se rapprochait toujours.

— Où? Où est-elle? demanda Carolyn, à haute voix.

C'est alors qu'elle vit la grande haie. De l'autre côté de la rue.

La tête, la magnifique tête... C'était là-bas qu'elle l'avait laissée, sous cette haie.

Pourrait-elle l'atteindre avant que les masques hideux ne fondent sur elle?

Oui!

Elle prit une profonde inspiration, tendit les bras et traversa la rue.

Elle plongea sous la haie et tomba à quatre pattes, le cœur battant, la poitrine en feu, ses mains balayant le sol.

Elle chercha la tête, mais ne la trouva pas.

La tête avait disparu.

27

La tête n'était plus là.

« Ma dernière chance, pensait Carolyn en
cherchant dans l'obscurité, ses mains tâtonnant
à l'aveuglette au pied de la haie. Disparue.
Trop tard pour moi. » Toujours à genoux, elle
se retourna vers ses macabres poursuivants.
Les masques, qui continuaient à jacasser dans
leur grotesque langage, étaient maintenant
tout près, devant elle, formant un mur.

Carolyn se leva d'un bond.

Le mur de masques se rapprocha encore un
peu. Elle se retourna, cherchant par où
s'échapper. Et elle la vit.

Sa tête en plâtre la regardait, coincée entre
deux grosses racines, près de l'allée menant
à la maison.

« C'est le vent qui a dû la pousser jusque-là »,
pensa-t-elle.

Et à l'instant où les masques grimaçants se rapprochèrent jusqu'à la toucher, elle se précipita sur sa tête et la saisit à deux mains.

Elle se retourna alors, avec un cri de triomphe, et brandit la sculpture face à ses poursuivants.

— Allez-vous-en! Allez-vous-en! cria Carolyn en brandissant la tête aussi haut qu'elle le pouvait. Voici un symbole d'amour! Allez-vous-en!

Les masques frémirent tous en même temps. Leurs yeux incandescents se braquèrent sur la sculpture. Un murmure d'excitation s'éleva du groupe. Des lèvres s'entrouvrirent en d'horribles sourires.

— Allez-vous-en! Allez-vous-en!

Carolyn les entendit rire. Des rires graves, méprisants, sinistres.

Et ils fondirent sur elle, tous ensemble, avec une monstrueuse avidité.

28

« Trop tard pour moi. »

Les mots se bousculaient dans l'esprit de Carolyn. Son idée n'était pas la bonne.

Les masques l'entouraient, se balançaient tout près de son visage, une lueur triomphante dans leurs regards de braise. La rumeur s'était transformée en un véritable grondement.

Carolyn sentit une chaleur nauséabonde l'envahir.

Par un geste instinctif, elle brandit la sculpture au-dessus d'elle, puis, d'une poussée brutale, l'enfonça sur sa propre tête.

À son grand étonnement, la sculpture glissa par-dessus le masque monstrueux.

« Je porte ma propre tête comme un masque », se dit-elle amèrement.

Et elle fut plongée dans une obscurité totale.

La sculpture n'avait pas de trous pour les

yeux. Carolyn ne pouvait plus rien voir.

Elle n'entendait plus rien.

« Que vont-ils faire de moi? se demanda-t-elle, seule et effrayée. Vais-je devenir, moi aussi, une Mal-Aimée? Vais-je finir sur une étagère, parmi les autres masques? »

Enfermée dans les ténèbres et dans un épais silence, Carolyn attendit.

Longtemps.

Elle sentait le sang battre à ses tempes. Elle sentait son cœur cogner follement contre sa poitrine. Elle avait la gorge sèche.

« Que va-t-il se passer maintenant? Que font-ils? »

Le silence, la solitude, la peur, l'obscurité... c'était plus qu'elle ne pouvait supporter.

Elle saisit la sculpture à deux mains et la souleva.

Les horribles têtes avaient disparu. Envolées!

Carolyn, incrédule, regarda autour d'elle. La rue, les arbres, les maisons, les jardins endormis. Personne.

Elle était seule.

Elle resta un long moment assise dans l'herbe humide, la tête sculptée sur ses genoux, le souffle court, regardant la pelouse. Tout était silencieux.

Puis sa respiration redevint normale. Une lune blafarde, glissant entre deux nuages, vint éclairer la rue. Carolyn sentit quelque chose qui pendait à son cou.

Elle y porta la main, et ses doigts rencontrèrent le bas du masque.

Le bas du masque? Oui!

Il y avait, entre le masque et son cou, assez de place pour glisser ses doigts.

Elle s'entendit pousser un cri de joie. Posant la tête sculptée à ses pieds, elle tira sur le masque et le fit passer par-dessus sa tête. Sans faire le moindre effort. Stupéfaite, elle l'examina, le plia, le déplia.

Les yeux orange, qui tout à l'heure semblaient jeter des flammes, s'étaient éteints. Les crocs puissants et acérés avaient repris la mollesse du caoutchouc.

— Tu n'es qu'un masque! dit-elle à haute voix. Tu es redevenu ce que tu étais. Un simple masque!

Elle le lança en l'air et le rattrapa avec un rire joyeux. *On ne peut le retirer qu'une fois*, avait dit l'homme du magasin.

Une seule fois, avec un symbole d'amour.

« Eh bien, j'ai réussi! se dit Carolyn, heureuse.

Je l'ai retiré. Et jamais je ne le remettrai! Jamais! »

Elle se sentit, soudain, à bout de forces.

« Il faut que je rentre, pensa-t-elle. Il ne doit pas être loin de minuit. »

Dans la plupart des maisons, les lumières étaient éteintes. Il n'y avait plus de voitures dans les rues. Les enfants qui, tout à l'heure, allaient de porte en porte avec leurs sacs de friandises, étaient tous rentrés chez eux.

Carolyn se pencha pour ramasser la sculpture, puis se mit à marcher rapidement pour rentrer chez elle.

En arrivant devant sa maison, Carolyn s'arrêta. Elle se passa une main sur le visage.

« Est-ce que j'ai bien retrouvé ma propre tête? » se demanda-t-elle.

Elle frotta ses joues, suivit la courbe de son nez.

« Est-ce bien mon visage? Est-ce bien moi? »

Se toucher ne suffisait pas à la rassurer.

— Il me faut un miroir! dit-elle tout haut.

Voulant voir désespérément si son visage était bel et bien revenu, elle courut vers la porte et sonna.

Après quelques secondes, la porte s'ouvrit et Noah apparut.

Il la regarda, et se mit à hurler.

— Ah! Enlève ce masque! Enlève-le! Tu es trop affreuse!

29

— Non! cria Carolyn, horrifiée.

Le masque, pensa-t-elle, avait sans doute transformé son visage.

— Non! Oh, non!

Bousculant son frère, elle se débarrassa vivement de la tête sculptée et du masque pour se précipiter vers le grand miroir du salon.

Elle s'y vit.

Parfaitement normale. Son visage de toujours. Son bon vieux visage.

Ses yeux marron. Son grand front. Et ce nez minuscule, qu'elle avait toujours rêvé d'avoir plus long. « Je ne me plaindrai plus jamais de mon nez », se promit-elle, toute à sa joie.

Et tandis qu'elle se regardait, elle entendit le rire de Noah derrière elle.

Elle se retourna, furieuse :

— Noah! Qu'est-ce qui t'a pris de...

Il rit de plus belle :

— C'était une blague! Je n'aurais jamais cru que tu marcherais!

— Pour moi, ça n'avait rien d'une blague! rétorqua Carolyn.

Sa mère apparut au fond du hall d'entrée.

— Carolyn, où étais-tu? Voilà une heure que je t'attends.

— Pardon, maman, répondit Carolyn avec un sourire.

« Je suis tellement heureuse! Je crois que je ne cesserai plus jamais de sourire! » songea-t-elle.

— C'est une longue histoire, dit-elle à sa mère. Une longue et incroyable histoire.

— Mais tu vas bien? demanda Mme Caldwell en examinant sa fille.

— Oui. Très bien.

— Viens dans la cuisine avec moi, proposa Mme Caldwell. J'ai un bon cidre chaud pour toi.

Carolyn suivit docilement sa mère dans la cuisine chaude et claire. Un délicieux parfum flottait dans l'air.

Elle n'avait jamais été aussi heureuse de se retrouver chez elle. Elle embrassa sa mère, se jucha devant le comptoir sur un tabouret.

— Pourquoi n'as-tu pas porté ton costume de

canard? demanda Mme Caldwell en emplissant une tasse de cidre fumant. Où es-tu allée? Et pourquoi n'étais-tu pas avec Sabrina? Elle a déjà appelé deux fois, elle se demandait ce qui t'était arrivé.

— Eh bien... commença Carolyn. C'est assez long comme histoire, maman.

— J'ai tout mon temps, dit sa mère en poussant la boisson vers elle.

Elle s'accouda au comptoir, le menton appuyé sur sa main.

— Vas-y. Raconte.

— Eh bien...

Carolyn hésita.

— Tout va bien, maintenant, maman. Parfaitement bien. Mais...

L'arrivée soudaine de Noah l'empêcha d'aller plus loin. Il tenait à la main le masque qu'elle venait de retirer.

— Eh, Carolyn, tu me le prêtes? Je voudrais l'essayer... rien qu'un petit moment!

FIN